Writing Case Reports

쉽게 배우는 증례보고 작성법

A Practical Guide **from Conception through Publication**

쉽게 배우는 증례보고 작성법

첫째판 1쇄 인쇄 | 2022년 08월 24일
첫째판 1쇄 발행 | 2022년 08월 31일

지 은 이 Clifford D. Packer/Gabrielle N. Berger/Somnath Mookherjee
옮 긴 이 조희근, 김준희
발 행 인 장주연
출판기획 김도성
책임편집 이민지
편집디자인 양은정
표지디자인 김재욱
발 행 처 군자출판사(주)
등록 제4-139호(1991. 6. 24)
본사 (10881) 파주출판단지 경기도 파주시 회동길 338(서패동 474-1)
전화 (031) 943-1888 팩스 (031) 955-9545
홈페이지 | www.koonja.co.kr

ISBN 979-11-5955-912-9
정가 30,000원

기고자

Gabrielle N. Berger, MD Division of General Internal Medicine, Department of Medicine, University of Washington School of Medicine, Seattle, WA, USA

Gurpreet Dhaliwal, MD Department of Medicine, University of California San Francisco, San Francisco, CA, USA

Brian J. Harte, MD Department of Medicine, Cleveland Clinic Lerner College of Medicine at Case Western Reserve University, Cleveland, OH, USA

Somnath Mookherjee, MD Division of General Internal Medicine, Department of Medicine, University of Washington School of Medicine, Seattle , WA , USA

Clifford D. Packer, MD Case Western Reserve University School of Medicine, Cleveland, OH, USA

Jeffrey Wiese, MD Department of Internal Medicine, Tulane University School of Medicine, New Orleans, LA, USA

서문

증례보고 작성에 관한 책을 왜 쓰는가?

가장 현실적인 이유 중 첫 번째는 '증례보고를 작성해야 한다'는 포부와 출판 사이의 간극을 메꾸기 위해서입니다. 매년 출간되는 증례보고 수는 늘고 있지만, 전공의와 지역사회 임상의에게 이 간극은 여전히 멀어 보입니다. 이 때문에 더 널리 알려져야 할 흥미로우면서도 중요한 증례들이 출판되지 않고 있습니다.

두 번째, Milos Jenicek의 '근거중심의학에서 임상 증례보고'를 비롯하여 증례보고 작성에 대한 좋은 글들이 많지만, 미래의 증례보고 저자들에게 증례 선정에서 출판에 이르기까지의 모든 과정에 대해 한 권으로 설명할 수 있는 실용적인 가이드가 필요하다고 생각합니다. 그 가이드는 21세기 잠재적 저자들에게 임상 소발표 초록clinical vignette abstracts, 증례군 연구case series, 임상 영상clinical images, 임상 질문clinical quizzes, 약물이상반응 사례보고adverse drug reaction case reports, 단일환자 임상시험N-of-1 Trials, 임상문제해결 증례clinical problem solving cases 등 기존의 증례보고를 넘어서는 다양한 현대적 변형에 대해 알려 주어야 합니다.

오늘날의 증례보고 작성자는 다재다능할 필요가 있습니다. 미리지 증후군Mirrizi syndrome에 대한 고전적 증례는 증례보고 자체는 의미가 없을 수도 있지만, 훌륭한 임상 영상이나 임상추론 사례가 될 수 있습니다. 우리의 목표는 저자가 많은 선택지를 탐색하여 본인의 증례에 가장 적합한 양식과 학술지를 선택하고, 간결하고 유익하며 출판할 수 있는 스타일로 작성하는 것을 돕는 데에 있습니다.

그렇지만 이 책을 쓰는 가장 중요한 이유는 증례보고가 작성하기 즐겁고 읽기에 재미있으며, 교육에도 좋고 임상 진료에도 유용하기 때문입니다. 저는 증례보고에 대해 저와 같은 생각을 갖고 있을 뿐 아니라, 글을 쓰는 데 상당한 시간과 에너지를 들일 의지가 충만한 두 공저자 Gabrielle N. Berger와 Somnath Mookherjee를 만나게 되어 매우 행운이었다고 생각합니다.

처음에 간단한 증례보고 핸드북으로 시작했던 것이 협업 과정을 거치면서, 증례보고 역사, 교육적 가치, 경력 확장, 학문적 기회, 소셜 미디어 측면 및 미래 전망에 대한 에세이가 포함된 핸드북으로 발전하였습니다. 모든 증례보고의 주요 목표는 사례를 상황에 맞게 설명하는 것입니다. 이에 상응하는 우리의 목표는 독자를 위해 증례보고 기법과 과학을 맥락에 맞추어 활용하는 것입니다. 증례보고의 저자는 자기 자신이 위대한 역사적 전통의 일부이고 증례보고는 강력한 교육 도구가 될 수 있음을 알아야 하며, 증례보고 작성이 흥미로운 학술적 기회, 새로운 협력, 유용한 임상 통찰로 이어질 수 있다는 점을 이해할 필요가 있습니다. 다시 말해 증례보고를 작성하는 것은 우리를 더 나은 교육자와 임상의로 만드는 데 도움이 됩니다.

단 몇 명의 의과대학생, 전공의, 임상의라도 이 책의 도움을 받아 첫 증례보고를 출판하게 된다면, 이 책은 목적을 달성한 것일 겁니다.

2016년 5월 8일

Cleveland, OH, USA, Cliffod D.Packer, MD

역자 서문

1989년 3월, 나는 내과 전공의를 시작한 지 며칠 지나지 않은 초보 진료 의사였다. 어느 날 응급실을 통해 열과 전신 통증을 동반한 환자가 지방에 있던 개인 병원에서 전원되었다. 당시 내가 근무하던 병원에는 매일 저녁 9시, 주임 교수님께 병동과 중환자실 환자 상태를 보고하는 전통이 있었다. 응급실을 통해 입원한, 진단이 불분명했던 이 환자는 교수님의 관심을 끌었고 그 주의 증례 토의 대상으로 지정되어 나는 내과의 모든 의료진 앞에서 발표를 해야 했다. 훌륭한 교수님들 앞에서 진단이 불분명한 이 환자의 감별진단과 진단방법, 치료를 토의하는 것은 영광이기도 했지만 커다란 부담이기도 했다. 교과서에 나오는 원인을 알 수 없는 열에 대한 다양한 질병에 대하여 공부를 시작하면서 최신 논문을 읽었다.

1980년경 진해에서 개업하고 있던 내과의사 이강수 선생님은 원인을 알 수 없는 고열, 오한, 두통을 주로 호소하고 발진과 림프절 비대를 동반한 환자를 경험하였다. 비슷한 증상의 이 환자들은 가을이면 많아졌고 특히 1981년과 1985년에 많았다. 놀랍게도 이강수 선생님은 이런 증상의 환자를 다른 환자들과 구분하기 위하여 진찰 기록부에 "eruption fever(발진을 동반한 열성 질환)"라는 진단명을 붙이고 관리하였다. 선생님은 연세대학교 의과대학 임상병리과, 소아과와 일본 군마현 환경공해연구소의 도움을 받아 1985년 11월 9일부터 1986년 1월 24일까지 진해 이내과에 내원한 환자 중에서 고열, 오한, 두통, 근육통, 발진이 있던 34명 중

24명에 대하여 리케치아 감염을 확인할 수 있는 와일-펠릭스 반응시험을 할 수 있었다. 21명이 항체 양성으로 쯔쯔가무시 병임이 규명되었다. 우리나라 사람에서 쯔쯔가무시 병이 최초로 확인된 순간이었다. 이 결과는 1986년 대한미생물학회지에 발표되었고[1] 많은 전문가들의 관심을 끌었다. 1987년 한국역학회는 1981년부터 1985년까지 이강수 선생님의 환자 진찰기록부를 확인한 결과, 총 80명의 환자가 “eruption fever(발진을 동반한 열성 질환)”로 표시되어 있었다고 발표하였다.[2] 그런데 과연 1980년대 이전에는 우리나라에 이 병이 없었던 것일까? 이후 우리나라에서 발열성 감염 질환에 대한 인식은 완전히 달라지게 되었다. 개인병원을 하던 훌륭한 임상가가 증례질환 연구를 통하여 우리나라 감염 질환의 역사를 바꾼 것이다.

다시 1989년, 나는 이강수 선생님의 연구를 포함한 다양한 문헌 탐색 연구와 더불어 불명열의 원인 질환인 감염 질환, 교원성 질환, 종양 등을 감별 진단하기 시작하였다. 마침내 환자가 쯔쯔가무시 병에 걸렸을 가능성이 가장 높다고 직감하였다. 그러나 당시에 와일-펠릭스 반응검사는 일부 전문 연구실에서만 할 수 있었다. 수소문 끝에 서울 연신내에 있었던 국립보건연구원의 한 연구실에서 한국형 출혈열, 렙토스피라증과 쯔쯔가무시 병을 동시에 검사할 수 있다는 것을 확인하고 직접 찾아가 검사를 의뢰하였다. 결과는 양성이었다. 내가 근무하던 병원에서 발견된 최초의 쯔쯔가무시 환자였다. 전공의 1년차인 나는 성공적으로 발표를 할 수 있었다. 1971년에 우리나라 최초 미국 종양내과 분과 전문의가 되었던 나의 은사 김예회 교수님은[3] 불명열의 감별진단 및 치료 과정에 대하여 소상히 질문을 하셨다. 나중에 내가 종양내과 전문의가 되고 대학에 남을 수 있었던 것은 아마 이때의 발표가 큰 도움을 주었다고 생각된다. 내과 전문의가 된 후에도, 임상시험 전문가가 된 후에도 증례 관련 연구들은 지금까지 나의 임상 능력을 끊임없이 강화시켜 주고 있다. 지방의 작은 개인병원 원장이셨던 이강수 선생님의 연구는 우리나라 감염 질환 분야뿐만 아니라 나의 인생도 변화시켰다.

2020년, 생물정보학(bioinformatics)과 관련된 통계연구를 이용하여 많은 논문을 쓰고[4] 환자에게 적용하고 있는 조희근 원장이 나에게 Cliffod D. Packer 등이 쓴『Writing Case Reports』를 번역하자는 제안을 하였다. 조희근 원장은 끊임없이 환자를 진료하고 후학을 교육하며 기초 연구를 열심히 하는 것으로 정평이 나 있었다. 대학교수도 그만두었고 게으른 일상을 보내면서 유유자적하고 있던 나와는 완전히 다른 사람이다. 그래서 처음에는 거절을 했다. 그러나 책을 읽고 저자들이 왜 이 책을 쓰게 되었는지를 공감하면서 많은 선후배, 동료 의사들이 한번쯤 읽어 보면 크게 도움이 될 만한 책이라고 생각하였다. 다시 한번 이강수 선생님의 증례보고 연구가 생각이 났다. '나도 이강수 선생님처럼 할 수 있지 않을까?' 그래서 번역을 시작하였다.

2022년 번역을 끝마칠 때 즈음, 선행 항암화학요법 후 유방전절제술을 받은 환자가 우리 병원에 입원하였다. 환자는 힘든 항암치료에도 불구하고 만족할 만한 종양반응 없이 수술을 받은 후였다. 환자는 입원 후 지속적인 두통과 불면증에 시달렸다. 한 달여에 걸쳐 개인병원과 대학병원에서 머리 MRI를 포함한 많은 검사를 하였으나 정상이었다. 그러나 환자의 곁에서 증상을 관찰했던 나로서는 암의 연수막 전이를 의심하지 않을 수 없었다. 1999년, 나는 연수막 전이의 증상으로 발견된 위암 환자를 학회에서 발표한 적이 있다.[5] 잠깐 환자를 보는 대학병원 주치의사는 관찰할 수 없는 것을 오랜 시간 환자와 함께 있는 개인병원 의사는 쉽게 볼 수 있다. 보호자를 설득하여 척수액 검사를 하도록 하였고 유방암의 연수막 전이가 확인되었다. 과거 증례보고 경험은 환자를 진료하는 데 놀라운 통찰력을 주기도 한다. 그리고 이런 경험은 개인병원 의사에게 더 필요한 것인지 모른다.

듣지도 보지도 못한 코로나 시대에서 증례보고의 소중함은 더욱 빛을 발하고 있다. 그동안 무시되었던 다양한 증례보고는 코로나 환자를 진료해 보지 못한 많은 의사들에게 귀중한 가르침이 되며 다시 태어나고 있다. 이 책은 의과대학 학생뿐만 아니라 전공의 과정에 있는 의사, 지역사회에서 환자를 진료하고 있는 의사들에게 특히 도움이 되며 체계적인 증례보고 교육을 받지 않은 의과대학 교수들에게도 큰 도움이 될 것이다. 현재진행형 혹은 과거 증례를 바탕으로 미래의 증례보고서를 준비하고 논문을 완성하면 학문적으로, 사회적으로 또 개인적으로 좀 더 발전하고 있는 나를 볼 수 있을 것이다.

2022년 8월 17일
역자를 대표하여 김준희 씀

참고

1. 이강수, 정윤섭, 권오헌, 이삼열, 김길영, 우지이에 아쓰오. 쯔쯔가무시병으로 규명된 진해지방에서 발생한 발진성 질환. 대한미생물학회지. 1986;21:113-20.
2. 서일, 김일순, 전병율, 배용준, 정윤섭. 거제군 Scrub typhus 발생양상에 대한 역학적 조사. 한국역학회지. 1987;1:17-27.
3. 대한암학회 40년사: 암 정복, 도전과 희망의 여정. 대한암학회. 2014. pp 76-7.
4. Hee-Geun Jo, Hyehwa Kim, Donghun Lee. Oral Administration of East Asian Herbal Medicine for Inflammatory Skin Lesions in Plaque Psoriasis: A Systematic Review, Meta-Analysis, and Exploration of Core Herbal Materials. Nutrients. 2022;14:2434.
5. 박봉건, 선휘경, 김준희, 김예회. 연수막 전이의 증상으로 발견된 위암 1예. Korean J Med. 1999;57:428-9.

목차

제 1 장

서론

Clifford D. Packer

증례보고의 작성

증례보고를 작성해야 하는 이유는 여러 가지가 있다. 증례보고 준비 과정을 통하여 전공의나 임상의를 교육하며 환자 진료에 유용한 근거를 만들 수 있다. 또한 학문적 글쓰기 기량을 익히거나 가르치게 되며, 새로운 증후군이나 심각한 약물 위해반응에 대하여 처음으로 설명하고, 임상추론과 의사결정을 분석한다. 질병의 기전에 대한 새로운 가설을 제시하고, 개인맞춤의료personalized medicine에 대한 획기적 연구에 참여할 수도 있다. 다른 사람들로부터 학문적 인정 및 경력 향상을 얻을 수 있다. 또한 거의 4,000년 전으로 거슬러 올라가는 증례보고의 역사적 전통에 참여하는 것이기도 하다.

이 책에는 두 가지 목적이 있다. 첫째, 의학적 증례보고에 관심이 있는 모든 사람을 위한 포괄적인 핸드북 또는 가이드로 활용되는 것이다. 제5장, 6장, 7장, 8장, 9장, 10장, 11장, 12장에서는 구상 및 증례 선택("내 증례는 충분히 좋은가?")에서부터 동의 취득, 영상 및 기타 데이터 수집, 저자 팀 구성, 목표 독자 설정, 학술지 선택, 동료 심사peer review에 대한 회신에 이르기까지 모든 실제적 과정을 다룬다. 제7장, 8장, 9장, 10장에서는 전통적 증례보고, 약물유해반응 사례보고, 증례군 연구, 개인 중심 증례보고 임상시험, 임상 영상, 임상 퀴즈, 임상 소발표clinical vignette 및 임상문제해결 증례를 어떻게 작성하는지 자세한 단계별 지침을 제공한다. 이 장들에는 출판으로 이어지는 전략을 설명하고 돕기 위해 이미 출판된 증례보고(저자가 작성한 다수의 사례를 포함하여)의 수많은 그림, 표, 이미지, 발췌문 등이 실려 있다.

두 번째 목적은 관심 있는 독자에게 증례보고의 역사적, 교육적, 사회적, 문화적 측면에 대한 견해를 제공하는 것이다. 제2장은 증례보고의 진화하는 형식 및 구조에 대한 문화적, 기술적 영향에 초점을 두고 고대 이집트에서 현재에 이르는 증례보고 역사를 살핀다. 제3장에서는 전공의와 노련한 임상의 모두를 위한 증례보고 읽기 및 쓰기의 교육적 이점에 대하여 설명한다. 제4장은 의학 문헌에 대한 공헌, 경력 개발, 더 나은 환자 치료에 기여하는 증례보고의 실질적인 이점을 다룬다. 제13장에서는 보도자료 배포 및 미디어 노출, 동료 심사와 사설editorial 작성의 기회, 색인 작성indexing, 인용citations, 논문 열람 상태 및 논평comment의 추적을 위한 소셜 미디어 사용 등과 같은 출판 후 쟁점을 살펴본다. 마지막으로 제14장에서는 증례보고의 불확실한 미래에 대하여 예측해 본다. 증례보고를 작성하려고 하는 독자들은 이 "핸드북"을 넘어 오래되었지만 여전히 생생한 형태의 의학적 소통에 대하여 더 많이 배우는 데 시간을 할애하기 바란다.

비브라토를 잃은 바이올리니스트

증례보고를 작성해야겠다는 생각은 문득 들 수 있다. 내가 처음으로 출판한 증례보고는 실내악 파티에서 바이올리니스트와 나눈 대화로부터 시작되었다. 그는 내가 의사라는 말을 듣고는 고혈압 약의 부작용에 대하여 호소하기 시작했다. 대개 이런 이야기를 들으면 정중히 고개를 끄덕이고는 방 반대편으로 빠르게 피하는 것이 보통이다. 그런데 그의 이야기는 어딘가 나의 호기심을 자극했다. 바이올리니스트는 손의 빠른 진동으로 유쾌하게 맥동하는 음색을 만들어내는 비브라토vibrato(음높이의 규칙적인 진동의 변화로 이루어 음악적 효과로, 음을 상하로 가늘게 떨어 아름답게 울리게 하는 기법 – 역자 주)를 구사한다. 그는 고혈압의 치료 목적으로 아테놀롤atenolol을 처방받은 후부터, 비브라토를 시작하고 조절하는 데 어려움을 겪기 시작했다. 증상은 더욱 악화되어 그가 다양하고 극적인 비브라토 효과가 필요한 마스네Massenet의 '타이스의 명상곡' 중 유명한 독주 파트 리허설을 시작했을 때 절정에 이르렀다. 몇 시간의 연습에도 불구하고 비브라토는 너무 느리고 너무 "넓으며" 조절하기 어려웠다. 절망한 그는 음악 의학 경험이 있는 의사를 찾아 아테놀롤을 끊고 안지오텐신 전환효소 억제제를 복용하기 시작했다. 그의 비브라토는 빠르게 회복되었고, 이후 그의 명상곡 공연은 완벽하게 성공했다. 이 대화는 결국 베타 차단제beta blocker, 무대 공포증, 비브라토라는 "조절된 떨림"과 관련된 아테놀롤의 모순 효과paradoxical effects에 대한 증례보고 및 문헌고찰로 이어졌다.[1]

또 다른 증례보고는 설명되지 않는 저칼륨혈증을 가진 환자가 전기스쿠터 앞 바구니에 2리터짜리 콜라병을 넣고 사무실로 들어왔을 때 탄생하였다. 그의 칼륨 수치는 낮았고 2년 동안 정상수치로 만드는 것이 거의 불가능하였으며 광범위한 검사를 해도 원인이 드러나지 않았다. 나는 그를 바라보던 중 갑자기 큰 콜라병이 이 증례의 "맥거핀MacGuffin"(소설이나 영화에서 어떤 사실이나 사건이 매우 중요한 것처럼 꾸며 독자나 관객의 주의를 전혀 엉뚱한 곳으로 돌리게 하는 속임수 – 역자 주)이라는 사실을 깨달았다. 내가 콜라에 대하여 묻자 그는 하루에 콜라 4리터를 마신다고 하였다. 이 대화는 콜라 유발성 저칼륨혈증의 진단으로 이어졌고, 그가 콜라의 섭취량을 줄인 후 칼륨 수치가 정상화되면서 원인이 콜라 때문이었음을 확인할 수 있었다.[2]

두 증례의 공통점은 무엇인가? 예상치 못한 연관성의 수수께끼가 풀렸을 뿐만 아니라 발견의 흥분도 있었다. 블라디미르 나보코프는 그의 책 '문학 강의'에서 "현명한 독자는 마음도, 뇌도 아닌 척추로 천재의 책을 읽는다."라고 썼다.[3] 노련한 임상의는 이와 매우 유사한 방식으로 보고할 가치가 있는 증례를 진정한 새로움을 접하였을 때 느껴지는 "숨길 수 없는 떨림 telltale tingle"을 통해 척추로 감지해 낸다. 이 책의 목적은 임상의와 학생들이 출판을 위해 그들의 증례를 작성하는 방법을 배움으로써 처음의 흥분섞인 전율이 지속되도록 돕는 데에 있다.

근거로서 증례보고의 가치: "실제로 일어난 일"

Riaz Agha는 "증례보고는 인과성과 관련하여 '가장 낮은' 또는 '가장 약한' 수준의 근거로 존재하지만, 한편 실제로 일어난 일에 대한 가장 중요한 근거로 남는다."라고 썼다. 증례보고는 저자들이 기술한 실제 진위로부터 근거로써의 가치를 이끌어낸다.[4] Milos Jenicek이 우리에게 상기시켜 주듯 "모든 것은 병원의 진료실에서 임상의와 환자의 개인적인 경험으로부터 시작한다."[5] 무작위 대조 임상시험은 신중하게 통제된 조건에서 환자군을 다룬다. 그러나 증례보고는 일상의 무작위성 안에서 개별 환자를 다룬다. 무작위 대조 임상시험은 주로 확증적이다. 이에 대하여 Jan Vandenbroucke는 무작위 대조 임상시험이 "근거의 최종 정량화를 가져오지만 그 자체로는 과학적 독창성을 거의 제공하지 않는다."고 하였다.[6] 증례보고는 모두가 독창성, 우연성, 새로운 아이디어, 신선한 가설, 치료에서의 놀라운 발견에 관한 것이다. 증례보고는 확증을 주기보다 영감을 제공한다. 증례보고와 증례군 연구는 무작위 대조 임상시험에서 검정되고 확증될 대부분의 아이디어와 가설을 제공한다. 증례보고는 금을 찾아 망치로 바위를 깎아내는 유일한 탐색자이다. 무작위 대조 임상시험은 광부가 장

래성 있는 노다지를 찾았을 때, 공급 장치와 분쇄기, 침출탱크를 가지고 달려드는 조직화된 채광 작업에 비유할 수 있다.

증례보고는 전통적으로 근거 피라미드의 맨 아래 부분에 있고, 무작위 대조 임상시험은 가장 위에 있다(그림 4.1 참조). 우리가 진료 방법을 결정할 때 높은 질의 무작위 대조 임상시험 결과가 확보된 근거기반의학 evidence-based medicine은 좋은 참고가 된다. 이는 환자가 교과서적인 질환을 앓고 있거나 다른 동반질환이 없을 때 매우 좋다. 그러나 혼란스럽고 비정형적인 증상을 보이는 복잡한 병력을 가진 환자를 진료할 경우, 당신은 무작위 대조 임상시험이 모든 답을 갖고 있지 않다는 사실을 곧 알게 될 것이다. 다행스럽게도 PubMed에는 170만 건 이상의 증례보고가 색인되어 있어, 문헌을 검색하면 진단과 관리에 지침이 될 수 있는 몇 가지 유사 증례를 확인할 수 있다. 따라서 무작위 시험이 부족할 때 근거 피라미드를 완전히 뒤집어 생각하면, 증례보고와 증례군 연구 –"실제로 일어난 사건"– 는 의사가 구할 수 있는 가장 좋은 근거가 된다.

증례보고의 영향력

증례보고 작성이 이상하고, 구식이며, 중요하지 않은 것에 대한 추구라고 여기는 사람들은 21세기 증례보고의 극적이고 지속적인 영향력에 대해 숙고해 보아야 한다. 무작위 대조 임상시험은 계획과 수행에 수년이 소요되는 경우가 많지만, 증례보고는 질병 자연경과natural history와 예후 및 신종 질병 치료에 대한 중요한 정보를 신속하게 출판하고 광범위하게 보급하는 "제일선 보고서"로 기능할 수 있다. 예컨대 최근의 증례보고 "지카 바이러스와 관련된 소두증 증례"[7]에서는 지카 바이러스 감염 증상이 있는 여성의 29주차 태아 부검 결과를 보고했다. 부검 결과 소두증, 거의 완전한 뇌이랑결여증agyria, 수두증 및 기타 주요 뇌 이상이 확인되었다. 역전사

중합효소 연쇄 반응RT-PCR 분석을 통해 태아 뇌 조직에서 지카 바이러스가 발견되었으며, 태아의 뇌에서 완전한 지카 바이러스 게놈을 확인할 수 있었다. 이 보고는 임산부의 지카 바이러스 감염이 태아 소두증을 유발한다는 최상의 근거를 제공하였다. 증례보고는 질병 자연경과, 바이러스학, 그람 음성 패혈증 및 뇌질환 등의 흔한 합병증, 생존을 위한 최적의 ICU치료에 대한 중요한 정보를 제공했고, 최근 아프리카 에볼라 바이러스 전염병에서도 유사한 최전선의 역할을 담당하였다.[8] 증례보고와 증례군 연구는 SARS[9], MERS[10], AIDS[11], 독성 쇼크 증후군[12], 웨스트 나일 바이러스[13] 등의 유행에서도 중요한 기여를 했다.

증례보고는 새로운 질병을 인식하고 설명하는 것 이외에도 약물 감시(제8장), 질환의 기전에 대한 가설 생성 및 연구(제7장), 의학 교육(제3장, 8장, 9장 및 10장), 희귀질환 및 이상치outlier 연구(제8장), 개인맞춤의학(제8장), 의학사 연구(제2장), 품질 보증quality assurance과 윤리적 딜레마 해결에 있어 계속 중요한 역할을 담당하고 있다.[6,14,15]

증례보고: 21세기의 형태와 기능

수 세기 동안 증례보고는 당시의 사회 문화적, 기술적 맥락에 맞게 발전해 왔다. 21세기에는 컴퓨터 기술이 급속히 성장하여 연구, 교육, 영상화 및 생물정보학 분야에서 점점 더 영향력과 활용이 증가하고 있으므로 증례보고의 역할 확대를 다양한 측면에서 기대할 수 있다(그림 1.1).

예를 들어 빠르고 저렴한 게놈 염기서열 분석의 출현으로 특이한 개별 암 생존자에 대한 연구는 암 연구에서 가장 인기 있는 분야 중 하나가 되었다. 이제는 수백 명의 개인에 대한 염기서열 분석을 통해 특정 치료에 대한 반응을 예측하고 돌연변이를 가진 사람들을 찾을 수 있다. 이와 유사

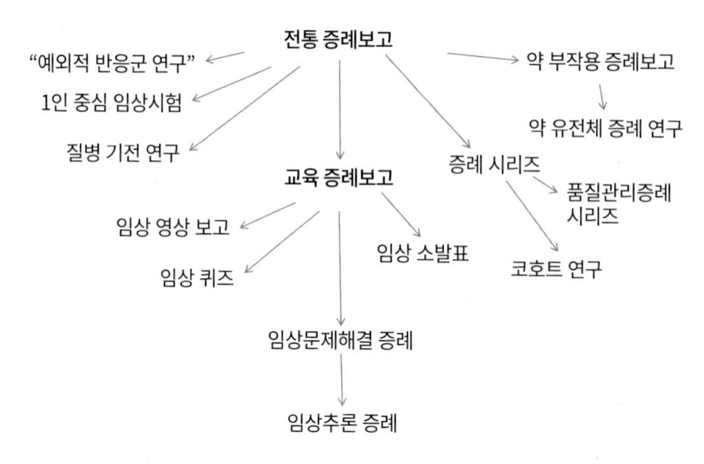

그림 1.1 21세기 증례보고의 분류 체계

하게 고혈압, 수면무호흡증, 파킨슨병과 같은 만성 질환 환자를 대상으로 한 단일환자 임상시험은 치료 반응을 평가하기 위한 개발된 "표현형phenotypic" 모니터링 장치의 개발에 도움을 받았다. 의학 교육에 있어 전통적인 증례보고는 임상 영상, 동영상, 퀴즈, 포스터 소발표poster vignettes, 임상문제해결 증례 등 다양한 형태로 변화하였으며, 전자 매체를 통해 널리 활용할 수 있다. 이제 증례군 연구는 성과 연구outcome study, 사례 정의case definition, 품질 보증 및 다기관 등록을 위해 컴퓨터로 서로 연결되거나 분석이 이루어질 수 있다.

확실히 우리는 30년 전의 전통적인 인쇄본 학술지 증례보고에 비해 크게 발전했다. 사실 증례보고는 히포크라테스의 전염병과 최초의 현대 증례보고 사이 2,000년 간극보다도 불과 지난 30년 동안 형태와 기능이 더 많이 변했다고 말할 수 있다. 증례보고는 얼마나 오랫동안 계속 성장하고 스스로 형태를 바꾸어 점점 더 많은 독자들에게 도달할 수 있을 것인가? 전통적인 증례보고가 그 의의를 유지할 것인가 아니면 30년 안에 시들고 잊힌 유물이 될 것인가? 우리는 이 책의 독자들 –특히 학생, 레지던트 및 경력 초반기의 임상의– 이 이런 질문을 마음에 담아두고 증례보고가 제공해야 하는 최선의 내용을 추구하기를 바란다.

참고문헌

1. Packer CD, Packer DM. Beta–blockers, stage fright, and vibrato: a case report. Med Probl Perform Art. 2005;20(3):126–30.
2. Packer CD. Chronic hypokalemia due to excessive cola consumption: a case report. Cases J. 2008;1:32.
3. Nabokov V. Lectures on literature. New York: Harcourt Brace Jovanovich; 1982. p. 6.
4. Agha R. Time for a new approach to case reports. Int J Surg Case Rep. 2010; 1(1):1–3.
5. Jenicek M. Clinical case reporting in evidence–based medicine. Oxford: Butterworth–Heinemann; 1999. p. 5.
6. Vandenbroucke JP. Case reports in an evidence–based world. J R Soc Med. 1999; 92(4):159–63.
7. Mlakar J, Korva M, Tul N, Popović M, Poljšak–Prijatelj M, Mraz J, et al. Zika virus associated with microcephaly. N Engl J Med. 2016;374:951–8.
8. Kreuels B, Wichmann D, Emmerich P, Schmidt–Chanasit J, de Heer G, Kluge S, et al. A case of severe Ebola virus infection complicated by gram–negative septicemia. N Engl J Med. 2014;371:2394–401.
9. Tsang KW, Ho PL, Ooi GC, Yee WK, Wang T, Chan–Yeung M, et al. A cluster of cases of Severe Acute Respiratory Syndrome in Hong Kong. N Engl J Med. 2003;348:1977–85.
10. Zaki AM, van Boheemen S, Bestebroer TM, Osterhaus ADME, Fouchier RAM. Isolation of a novel coronavirus from a man with pneumonia in Saudi Arabia. N Engl J Med. 2012;367:1814–20.
11. Hymes KB, Greene JB, Marcus A, William DC, Cheung T, Prose NS, et al. Kaposi's sarcoma in homosexual men–a report of eight cases. Lancet. 1981;2(8247):598–600.

12. Todd J, Fishaut M, Kapral F. Toxic–shock syndrome associated with phage–group–I Staphylococci. Lancet. 1978;2(8100):1116–8.
13. Asnis DS, Conetta R, Texeira AA, Waldman G, Sampson BA. The West Nile Virus outbreak of 1999 in New York: the Flushing Hospital experience. Clin Infect Dis. 2000;30(3):413–8.
14. Vandenbroucke JP. In defense of case reports and case series. Ann Intern Med. 2001;134:330–4.
15. Nissen T, Wynn R. The clinical case report: a review of its merit and limitations. BMC Res Notes. 2014;7:264.

제 2 장

증례보고의 역사적 전통

Clifford D. Packer

고대와 중세의 증례보고

오늘날 우리가 알고 있는 증례보고는 고정된 방식의 의학 커뮤니케이션이 아니다. 증례보고는 거의 4,000년에 걸쳐 진화해 왔으며 역사, 기술, 문화적 맥락의 변동에 따라 그 형식과 내용, 용도에도 뚜렷한 변화가 있었다. 증례를 보고하는 전통은 오래되었으나 현대의 증례보고 작성법은 비교적 최근에 발전하였다.

최초의 증례보고는 기원전 1,600년경 이집트 파피루스에 기록되어 있다. 이 기록은 48개 사례로 구성되어 있는데 머리와 상체의 부상 및 장애에 대해 논의하고 있으며 턱의 탈구를 감소시키는 수기에 대한 정확한 기술도 포함하고 있다.[1] 고대 이집트의 또 다른 의학 논문인 Ebers 파피루스(기원전 1552년)는 110페이지 두루마리로 이루어져 있는데, 여기에는 민간요법, 묘약 그리고 아마도 당뇨병에 대한 첫 보고라고 생각되는 (동시대의 고대 힌두교 텍스트에 신비한 소모성 질병을 가진 사람들의 소변이 개미를 유혹했다는 언급이 있기는 하다) 빈뇨를 포함한 다양한 질병에 대한 기술이 들어있다.[2] 이집트 의학은 실용적이고 때로는 유용했지만, 의사 겸 성직자들에 의해 시술되었기 때문에 마술과 불가분의 관계로 얽혀있었다.[3] 이와 달리 고대 그리스 시대(기원전 400년경)의 히포크라테스 증례는 질병의 초자연적 기원에 대한 불신과 다양한 질병의 발견과 경과에 대한 객관적이고 자세한 기술을 특징으로 한다.[1] 의사–서술자는 일반적으로 관찰자였으며 증례에 개입하거나 참여하지 않았다.[4] Epidemics(히포크라테스의 저서 – 역자 주)에 실린 봉와직염과 광범위한 패혈증의 복합적 감염으로 보이는 족부 환자의 증례 기록이 전형적인 예이다.

Thasus의 Criton은 걸어 다니는 동안 엄지발가락에 심한 통증을 느꼈다. 그 날 그가 자리에 누웠을 때 오한과 메스꺼움이 있다가 조금 회복되었으나 밤에 정신이 혼미해졌다. 이튿날, 발 전체가 붓고 발목 주위가 팽창하면서 홍반이 생겼으며, 작은 수포들phlyctaenae이 발생하였다. 급성 발열이 있었으며, 심각한 정신착란의 상태에 빠져들었고, 뱃속에서 다른 것이 섞이지 않은 담즙이 더 자주 배출되었다. 그는 증상 시작 후 이틀째 사망하였다.[5]

히포크라테스 최고의 업적은 412개의 짧고 간결한 경구aphorism 모음집으로, 이 책은 그의 증례 기록에서 수집된 "교훈"을 전달한다. 경구는 구두 전달에 적합하며 –그들은 문자가 아닌 대화 속에서 생활하였다– 이들 중 가장 훌륭하고 기억할 만한 것은 마치 시구나 의학에서의 시조와 같았다. Quentin Shaw는 "좋은 경구의 구술적 성격은 그것을 빨리 기억하게 만든다."고 했다.[6] 경구는 교육 도구로 지속되었다. 히포크라테스 경구[7] 세 개, 이어서 나의 의학 연수 중 외웠던 세 가지를 음미해 보자.

이질이 흑색 담즙으로 시작되면 치명적이다.
수종 환자는 몸에 생기는 궤양이 잘 치료되지 않는다.
급성 질환에서 사지가 차가워지면 나쁜 징조이다.
담석산통은 우측 견갑골 바로 아래 지점으로 퍼진다.
농흉 환자가 햇볕을 쬐게 해서는 안 된다.
니트로글리세린에 의해 완화되고, 흉골 아래의 움직임에 의해 나빠지는 통증의 원인은 협심증이다.

현대의 증례보고에서도 여전히 경구체의 교육 요점으로 논의를 마무리하는 것이 일반적이다. 우리는 증례를 요약하면서 히포크라테스의 권위를 소환한다.

그리스의 저명한 의사이자 철학자인 갈렌Galen(기원전 200년경–129년)은 증례 기록에 대하여 매우 다르게 접근하였다. 히포크라테스의 객관적이고 공정한 서술과는 달리 갈렌은 일인칭 시점을 활용하여 스스로를 증례의 중심에 두었다. 그의 환자는 종종 정치인이나 철학자, 심지어는 황제와 같은 유명 인사였고, 그는 진단 전문가로서의 자신의 탁월함이나 환자가 표하는 감사인사 및 다른 의사들의 단점을 증례에 기술하기를 주저하지 않았다. 갈렌의 첫 번째 저작으로 여겨지는 '환부(On the Affected Parts)'에 대해 Christina Alvarez Millan은 다음과 같이 설명한다.

… 우리는 이 책에서 주로 희귀한 증상과 극적인 치료법을 접하게 되는데, 더 중요한 것은 놀라운 분량의 연극적 수사법과 함께 질병 분류 기술 전반에 걸쳐 긴장감을 증대시키는 문학적 장치를 발견하게 된다는 점이다. 전형적인 임상적 기술은 다음 순서를 따르게 된다. 갈렌의 환자에 대한 두려움, 환자에 대한 갈렌의 질문, 질병에 대한 갈렌의 연구, 갈렌이 도달한 결론(진단 또는 예후), 갈렌의 환자에 대한 경고, 갈렌이 예방한 동료들의 다른 치료 방법, 갈렌이 진료 현장의 모든 사람들을 놀라게 하는 장면, 갈렌이 설명하는 문제의 본질 등등이다.[8]

갈렌은 많은 뛰어난 관찰을 했으며, 베살리우스를 비롯한 다른 이들이 그의 해부 및 생리 이론이 틀렸음을 입증하기 시작할 때까지 그의 의학 사상은 천 년 이상 추앙받았다.

중세에 들어와 유럽에 만연한 스콜라 철학과 해부 및 실험에 대한 종교적 금지로 의학 발전이 어려움을 겪게 되었다. 유럽의 암흑기가 지속되면서 이슬람 의학이 선두에 서게 되었는데, 라제스Rhazes(서기 865–925)와 아비센나Avicenna(서기 980–1037)의 작업과 저술이 가장 인상 깊다. 특히 라제스의 증례 기록에서는 질병에 대한 정확하고 통찰력 있는 기술이 눈에 띈다. 라제스는 최초로 천연두와 홍역을 구분하였으며, 천연두 생존자가 재차 감염되지 않는 이유에 대한 그의 설명은 후천성 면역에 대한 첫 번째 이론으로 인정받는다.[9] 라제스는 또 다른 증례에서 말에서 떨어져 목에 부상을 입고, 세 번째, 네 번째, 다섯 번째 손가락의 감각 상실을 동반하는 남자 환자의 병변 위치를 “7번째 척추 뒤에 위치한 신경(즉, C–8)”이라고 위치를 특정했다.[1] 라제스의 많은 학생들이 그의 증례를 교재로 활용했으리라는 점은 분명하다. 많은 경우 그는 단순 서술의 범위를 넘어 이전 증례들을 비교하고 일반화한 내용을 증례에 포함시켰다.[10]

흥미롭게도 15세기 후반 유럽과 중국에서 동시에 증례보고가 증가한다. 유럽 최초의 증례보고 모음집은 1551년부터 1556년까지 700건의 증례를 출판한 포르투갈계 유대인 의사인 아마투스 루시타누스Amatus Lusitanus의 것이다. 중국에서는 1531년 왕기汪機의 석산의안石山醫案을 제자인 진각陳桷이 편찬하였는데, 이 책은 15년에 걸쳐 수집된 100여 건의 증례 기록으로 구성되어 있다. 중국과 유럽의 초기 증례보고는 유사한 구성을 갖추고 있었으며, 대중에 대한 교육 및 의사 진료 홍보에 사용되었다. 중요한 차이가 있다면 중국의 증례보고는 경험보다 권위를 중시하는 경향이 있는 반면, 유럽의 증례보고는 경험을 강조하고 토론과 논쟁에 가치를 두었다는 점이다. 또한 중국 의사들은 증례보고가 의사뿐 아니라 환자를 위한 것이라고 여겼으며 치료의 일부로도 활용하였다. 유럽 의사들은 증례보고를 의사들 사이에서 질병과 치료에 대하여 소통하는 방법으로 보았다.[11]

현대 증례보고의 기원

역사학자 지안나 포마타Gianna Pomata는 현대 증례보고의 근원을 16세기 후반에 시작된 Observationes(증례 기록의 모음집)에서 시작되었다고 본다. 18세기에 이르러 이와 같은 모음집은 의학 저술의 기본적인 형식으로 성장하였다. Observationes은 마을과 법원 의사들의 자기 홍보의 한 형태로 시작되었지만, 결국 의학 지식의 원천으로 여겨지게 되었다. 포마타는 "본래 주안점은 치료 성공에 있었으나, 상세한 관찰을 통해 질병에 대한 지식을 기술한다는 새로운 임무에 자리를 내주게 되었다."라고 서술한다. 계몽주의가 종교적 제약을 완화함에 따라 부검 결과가 증례보고에 포함되기 시작하면서 진단 정확도 향상 및 해부학, 생리학 연구의 큰 발전으로 이어졌다.[13] 포마타는 증례보고의 부상을 "과학혁명 시대에 있어서 관찰의 새로운 인식론적 가치"와 관련 있다고 주장한다.[12] 증례보고는 18세기부터 20세기 중반에 이르기까지 계속해서 변화하고 발전하면서 의사의 일상적 관행을 형성했을 뿐 아니라 교육과 발견에 중요한 역할을 해왔다. 그렇다고 200년 전 증례보고가 오늘날의 객관적이고 편견 없는 증례보고와 매우 흡사하다고 말하려는 것은 아니다. 18세기 및 19세기 초의 저자들은 여전히 갈렌의 대화체를 선호하고 환자의 주관적인 경험을 더 중시하였으며, 종종 "극적인 장치"를 사용하여 진단의 순간을 지연시키거나 긴장을 고조시켰다.[4] 존 워렌Dr. John Warren의 '협심증에 대한 논평Remarks on Angina Pectoris, 1812'에서 나타난 증례 기술을 살펴보자.[14]

너무나도 빨리 나의 의심을 확인할 기회가 왔다. 일요일에 브래틀 거리에서 교회 예배에 참석하는 동안 Neal 씨는 안타깝게도 가장 폭풍 같은 발작을 일으켰다. 매우 흥미롭고 대단히 열정적인 설교가 진행되던 중, 모든 사람의 눈이 설교자에게 고정된 사이 그가 손을 들어 가슴을 강하게 문지르는 것이 관찰되었다. 그의 목소리는 흔들렸으며, 표정도 바뀌었다. 그리고 두어 번 몸부림치다 자리에 주저앉았고 의식을 잃었다.

제임스 파킨슨James Parkinson은 1817년 Essay on the shaking palsy에서 떨림, 자세 및 보행 장애를 가진 환자의 증상을 단일한 질병의 증상군으로 훌륭하게 연결하였다. 여기에서 그는 질병의 말기 단계를 기술한다.

쇠약함이 심해지고 근육이 의지대로 움직이지 않을수록 진전성 동요tremulous agitation는 더욱 격렬해진다. 이 증상은 이제 그를 잠시도 떠나지 않는다. 너무 지친 본능은 겨우 한 숨의 잠을 청할 때조차도 그 움직임으로 침대뿐 아니라 방바닥과 창틀까지 흔들 정도다. 이제 턱은 흉골을 향해 벌어진 채 닫을 수가 없다. 그가 먹으려던 음식물 찌꺼기와 침이 입에서 계속해서 흘러나오고 있다. 관절의 힘은 이미 없어졌다. 소변과 대변은 자신도 모르는 사이에 흘러나오며, 결국 약간의 섬망과 극심한 피로를 동반한 졸음이 잠깐의 안식을 준다.[15]

파킨슨의 강렬한 임상적 관찰을 더욱 극적으로 만드는 의인화("너무 지친 본능")와 "안식wished-for release"에 주목하라. 비슷한 맥락에서 빅토리아 시대 몇몇 저명한 심장전문의는 증례보고에 심장질환이 환자와 자신에게 미치는 고통스러운 영향을 기술하면서 감각적이며 감성적인 언어를 사용했다.[16]

그러나 변화가 다가오고 있었다. 20세기에는 증례보고 객관화와 구조 표준화를 볼 수 있으며, 이제는 친숙한 "서론/증례보고/고찰"형식이 등장하였고 서술에서 저자가 점차 사라졌다.[1] 오슬러Osler가 1902년 간헐적 파행에 대하여 보고한 2건의 증례[17]는 이와 같은 증례보고의 현대적 전환점을 특징적으로 보여 준다. 그는 20여 년 전 몬트리올 수의과대학 구성원들과 함께 보았던 말 부검에 관한 회상으로 증례보고를 시작한다. 말은 "특이한 형태의 절뚝거림"에 시달렸고 부검 결과 "장골 동맥의 … 기생충성 동맥류"가 보였다. 그는 "15분이나 20분 동안 움직인 후" 멈추어 쉬어야 하는 또 다른 말의 사례에 대해 언급한다. 부검에서는 양쪽 뒷다리의 동맥을 막고 있는 혈전이 보였다. 그 다음 오슬러는 1856년 샤르코Charcot가 고전적인 간헐적 파행이 있던 병사를 부검한 결과 장골동맥 근처에 총상을 입어 동맥류 및 동맥 하부의 폐색이 관찰된 사례 등의 문헌고찰을 보여준다. 우회하는 혈관 덕에 적당한 수준의 활동은 가능했으나 격렬한 활동에서는 쉬어야 완화되는 허혈성 통증을 유발했다. 그런 다음 오슬러는 매독성 복부 대동맥류를 앓고 있던 청년이 "철선술 및 전기분해wiring and electrolysis"로 성공적으로 동맥류가 치료된 후에 다리 파행 증상이 발생한 증례를 기술한다.

그는 일정 거리를 걷고 나면 그가 표현한 대로 완전히 힘이 빠졌고 한걸음도 더 움직일 수 없어 앉아야 했다. 몇 분 휴식을 취한 후에 다시 걸을 수 있었다. 증상은 거리를 걸을 때 특히 더 두드러졌다. 그는 매우 천천히 움직여야 했고 멀리 갈 수 없었다. 보행 능력 상실에 동반되는 마비는 없었다. 그는 다리를 움직일 수는 있으나 한 발짝도 더 내딛을 수 없다는 상실감에 휩싸였다. 이와 함께 다리가 죽은 듯 무거운 무게감이 있었지만 경련은 없었다. 집과 마당을 돌아다니는 것이 이런 상태를 일으키지 않았으나, 지난 몇 달 동안에는 증상이 자주 발생하였으며 그는 매우 조심스럽게 천천히 걷고 간격을 두어 쉬는 법을 알게 되었다. 대퇴 동맥과 발등 동맥은 뚜렷하게 딱딱하였다.

오슬러는 중요한 교훈과 함께 결론을 내린다.

말의 사례 및 내가 여기서 보고하는 첫 증례에서 보는 바와 같이 이 증상은 단순한 동맥경화증 때문이 아니라 샤르코의 증례나 말의 예시처럼 동맥류 때문일 수 있다.[17]

이 굉장히 흥미롭고 재미있는 이종interspecies 간 증례보고에서 오슬러는 1인칭으로 글을 썼고 수의학에 대한 그의 이상한(아주 적절한) 경험을 원용하였다. 그러나 이 증례보고는 서론, 문헌고찰, 두 사례에 대한 간결한 설명 및 확실한 교훈을 포함한다는 점에서 분명히 현대적이다. 결국 오슬러는 "명칭으로서의 단어"를 추가하지 않을 수 없었으며, 샤르코, 에르브Erb, 히기어Higier가 제안했던 혈관 경화성 간헐적 발작 이상증angiosclerotic intermittent dysbasia, 간헐적 근육 마비intermittent muscle paresis 또는 혈관 경화성 발작성 중증 근무력증angiosclerotic paroxysmal myasthenia을 사용하지 않고 "간헐적 파행intermittent claudication"이라는 단어를 특별히 좋아한다는 것을 보여주었다. 이것은 오슬러가 선호하는 문학적 표현으로, Aequanimitas(윌리엄 오슬러 경의 가장 유명한 에세이의 제목인 동시에 그의 첫 번째 에세이의 제목이기도 하다 – 역자 주)의 독자라면 이를 존중할 것이다(오슬러의 논문은 최근 New England Journal of Medicine에 출판된 또 다른 종간 증례보고를 떠올리게 한다. 이것은 유전적 변형을 일으킨 촌충 세포 증식으로 인해 비-인간의 악성 종양이 발생한 HIV 감염 남성에 관한 보고로, 기생충 유래 암세포의 전염성 클론에 기인한 첫 번째 증례였다.[18]).

증례보고의 발흥, 쇠퇴, 그리고 (전자적) 재탄생

지난 100년 사이 증례보고의 인기는 상승했다가 하락하였고, 다시 상승하였다. 20세기에는 새로운 질병, 약물 부작용, 병인etiology 및 질병 기전, 치료, 예후 및 교육에 초점을 맞춘 증례보고의 출판이 폭발적으로 증가하였다.[19] 증례보고로 처음 기술된 새로운 질환에는 쉘 쇼크(1915), 쿠싱 증후군(1932), 태아적모구증(1932), 에볼라 바이러스 감염(1977), 독성 쇼크 증후군(1978), 에이즈(1981), V인자 라이덴 돌연변이 혈전성향증(1993) 등이 있다. 증례의 형태로 처음 보고된 중대한 약물 부작용으로는 탈리도마이드 관련 선천성 기형(1961), 경구피임제로 인한 정맥혈전증(1961), 클로르프로파미드 유발 항이뇨 호르몬 분비 이상 증후군(1970), 체중 감소 약물과 관련된 판막 질환(1996), 트로글리타존으로 유발된 간부전(1998)

이 있다. 20세기의 또 다른 역사적인 증례보고에 동맥관개존증에 대한 최초의 수술적 결찰(1939), 조증 치료를 위한 첫 리튬 사용(1949), 최초의 심장 이식(1967) 등도 포함된다. 임상의들은 실용적 지침이나 교육을 위해 혹은 영감을 얻기 위하여 증례보고를 읽었다. 나아가 자신의 흥미로운 증례를 종종 출판할 수 있었다. 1946년부터 1976년까지 30년 동안 일반적인 의학 학술지에 게재된 모든 논문에서 증례보고가 차지하는 비율은 38%에 달한다.[20] 그러나 1980년대에 들어 많은 주요 학술지에서 증례보고 출판이 급격하게 감소하기 시작했다. 이런 감소는 "연구 논문(명확하게 기술된 연구방법론에 의해 저자가 직접 생산한 독창적 데이터를 포함하는 논문)reasearch articles"의 출판 증가와 관련이 있다. 1969–1970년 정신과 학술지의 모든 논문 중 연구논문이 차지하는 비율은 50%였으나 1989–1990년에는 82.4%까지 증가하였다.[21] 또 다른 요인은 무작위 대조 임상시험을 근거 피라미드의 가장 위로 끌어올린 "근거기반의학evidence-based medicine"의 대중화와 폭넓은 수용이었는데, 이제 증례보고와 증례군 연구는 "지적 삶에서 가장 저급한 형태로 사례 대조 연구case-control study보다 수준이 낮다."는 비난을 받기에 이르렀다.[19] Nissen과 Wynn은 임상 증례보고 역사에 대한 최근의 훌륭한 논문에서 증례보고가 "편집자에게 보내는 편지" 섹션으로 밀려나거나 엄격한 선정기준에 의해 제한되거나 혹은 많은 경우 출판 자체가 완전히 거절되는 등 편집자가 증례보고를 얼마나 홀대하였는지 설명하였다.[22] 증례보고는 일반적으로 임상연구에 비해 덜 인용되는데, 이는 영향력 지수impact factor의 중요성이 증가하면서 편집자들이 증례보고의 출판을 피하는 또 다른 이유가 되었다. 그리고 정부와 제약회사의 무작위 대조 임상시험 기금이 급격히 증가하는 상황에서 자금지원이 대체로 이루어지지 않는 증례보고는 저자와 학술지 모두에게 덜 선호되는 영역이 되었다. 이 모든 요인들이 1980년대부터 1990년대 중반까지 증례보고 출판이 거의 성장하지 못하는 데에 이바지하였다.

그러다 1990년대 후반에 증례보고가 다시 증가하기 시작한다. The Lancet, American Journal of Psychiatry, BMJ, Journal of Clinical Oncology 등 여러 권위있는 학술지에서 다양한 형식으로 증례보고를 다시 발행하기 시작하였다. 비슷한 시기에 일부 회의론자들은 근거기반의학이 "임상역학의 위계"를 바탕으로 광범위하게 적용할 수 있는 의학적 개입을 평가하는 대규모 정량적 연구를 가능하게 했지만 개별 환자 수준에서는 실패하고 있다고 비판하기 시작했다.[22] 근거기반의학에 대한 반발로 환자 개개인의 이야기에 대한 관심이 높아지기 시작했으며, 이는 질적 연구 방법으로 연구될 수 있고 유사한 패턴의 질병을 가진 다른 환자에게 적용할 수 있다. 2000년에서 2013년 사이 Pubmed에 색인된 증례보고의 발행은 42,000건에서 58,000건으로 36% 증가했다.

증례보고의 부활에서 가장 중요한 요인은 아마도 전자 증례보고 학술지의 등장일 것이다. 이 추세는 the Journal of Medical Case Reports, Cases Journal, BMJ Case Reports에서 시작되었다. 이후 온라인 증례보고 학술지는 기하급수적으로 증가하여 2015년 11월 현재 30개 이상이며, 온라인 학술지의 장점과 문제점도 보다 분명해지고 있다.[23] 한편으로 증례보고 학술지는 바쁜 임상의와 의학 저술 경력이 부족한 초보자 모두에게 출판과 경력 개발의 수단이 될 수 있다. 한정된 자원으로 연구 자원이 부족한 지역에서는 오픈-엑세스 증례보고 학술지가 중요한 임상 소견을 출판하고 지역사회에 의료정보를 알리는 방법이 될 수 있다. 또 다른 잠재적 이점으로 임상시험에서 다루어지지 않은 복잡하고 특이한 문제를 가진 개인의 진단과 치료에 활용할 수 있는 대규모 증례 데이터베이스 구축을 들 수 있다. 하지만 어떤 학술지에서는 동료 심사와 글쓰기의 질이 일치하지 않으며 중요한 정보가 누락되고, 사건에 대한 부적절한 설명이나 입증되지 않은 사실을 마치 사실인 것처럼 보고하는 경우가 있다. 저자 투고료는 특히 기관의 지원을 받지 못하는 저자에게 있어 출판에 장애가 될 수 있으며, 높은 투고료와 질낮은 동료 심사의 조합은 기꺼이 비용을 지불

하려는 이들에게 "허영 출판vanity publication"이라는 유령을 불러낸다. 마지막으로 조금 덜 중요한 증례에 대한 온라인 저널의 대규모 데이터베이스는 "감시가 필요한 중요한 사건을 경솔한 출판의 바다에서 익사시킬지 모른다."[23]

여러 저자가 이런 문제에 대한 해결책으로 증례보고 지침case report guideline을 제안했다.[23-25] 이들은 제안된 지침이 개별 증례보고의 근거가치와 전체 데이터베이스 품질을 향상시킬 수 있다고 하였다. 2013년에 처음 출판된 합의 기반 증례보고지침인 CARE guideline의 저자는 "증례보고 정보를 체계적으로 모으면, 임상연구 설계를 위한 정보를 얻을 수 있고 효과와 위해에 대한 조기 신호를 제공받아 의료전달 체계를 개선할 것"이라 주장하였다.[22]

이는 흥미로운 발전이지만 누군가는 이미 PubMed에 177만 건의 증례보고가 색인화된 상황에서 지침이라는 '배'는 이미 출항했다고 주장할 수도 있다. 또 다른 접근 방식은 트레이닝 중인 모든 의사에게 CARE 지침을 배포하고 환자 치료를 위해 액세스할 때 각 사례 보고서의 증거 가치를 스스로 평가할 수 있도록 가르치는 것이다.

그러나 우리는 엄격한 지침을 수용하기 전에 증례보고의 오랜 역사에서 배운 것들을 신중히 생각해 보아야 한다. 증례보고는 시대의 문화, 가치 및 기술을 반영한다. 따라서 증례보고 형식과 기능은 시간이 지남에 따라 계속 변해야 한다. 500년 후 증례보고가 어떤 모습일지 누가 상상할 수 있겠는가? 그리고 우리가 교육을 위해 16세기를 살펴보는 것 이상으로 미래의 증례보고들이 20세기 지침을 고수해야 할 이유가 있는가? 증례보고의 또 다른 특징은 그것들이 열정과 직관, 그리고 전통적인 양식에 거의 구애받지 않는 가설로 충만한 매우 창의적인 시도라는 점이다. 지침이라는 영역 안에 오슬러의 다리가 뻣뻣한 말을 위한 자리가 있는가? 옳았음에도 몇 세기 동안 검증할 수 없는 상태로 남아 있던 면역에 관한 라제스의 직관적 가설을 위한 자리가 있는가? 우리가 어떤 지침을 선택하든 증례보고뿐 아니라 모든 의학 저술에 있어 본질적인 덕목인 자유로운 가정을 너무 억눌러서는 안 된다.

참고문헌

1. Nissen T, Wynn R. The history of the case report: a selective review. JRSM Open. 2014;5(4):2054270414523410.
2. Frank LL. Diabetes mellitus in the texts of old Hindu medicine(Charaka, Susruta, Vagbhata). Am J Gastroenterol. 1957;27(1):76–95.
3. Allen JP. The art of medicine in ancient Egypt. The Metropolitan Museum of Art, New York. New Haven/London: Yale University Press; 2005.
4. Hurwitz B. Form and representation in clinical case reports. Lit Med. 2006;24:216–40.
5. The Internet Classics Archive. Hippocrates: of the epidemics (trans. Francis Adams). 1994. http://classics.mit.edu/Hippocrates/epidemics.html. Accessed 29 Oct 2015.
6. Shaw Q. On aphorisms. Br J Gen Pract. 2009;59(569):954–5.
7. The Internet Classics Archive. Hippocrates: aphorisms (trans. Francis Adams). 1994. http://classics.mit.edu/Hippocrates/aphorisms.html. Accessed 13 Nov 2015.
8. Alvarez MC. Graeco–Roman case histories and their influence on Medieval Islamic clinical accounts. Soc Hist Med. 1999;12:19–43.
9. Ashtiyani SC, Amoozandeh A. Rhazes diagnostic differentiation of smallpox and measles. Iranian Red Crescent Med J. 2010; 12(4):480–3.
10. Alvarez MC. The case history in Medieval Islamic medical literature: Tajarib and Mujarrabat as source. Med Hist. 2010;45(2):195–214.
11. BMJ Blogs. Richard Smith: case reports in 16th century Europe and China. Blogs.bmj.com/2013/07/09/richard–smith–casereports–in–16th–century–europe–and–china/. Accessed 29 Oct 2015.
12. Pomata G. Sharing cases: the observations in early modern medicine. Early Sci Med. 2010;15(3):193–236.

13. King LS, Meehan MC. A history of autopsy. A review. Am J Pathol. 1973;73: 514–44.
14. Warren J. Remarks on angina pectoris. N Engl J Med. 1812;1(1):1–11.
15. Parkinson J. Project Gutenberg's An Essay on the Shaking Palsy. www.gutenberg.org/files/23777/23777-h/23777-h.htm. Accessed 3 Nov 2015.
16. Class M. Introduction. Medical case histories as genre: new approaches. Lit Med. 2014;32(1):vii–xvi.
17. William Osler: Original Papers 1898–1906. Intermittent claudication, 1902. digitalcommons. library.tmc.edu/osler/2/. Accessed 3 Nov 2015.
18. Muehlenbachs A, Bhatnagar J, Agudelo CA, et al. Malignant transformation of Hymenolepsis nana in a human host. N Engl J Med. 2015;373(19):1845–52.
19. Vandenbroucke JP. Case reports in an evidence-based world. J R Soc Med. 1999;92(4):159–63.
20. Fletcher RH, Fletcher SW. Clinical research in general medicine journals. A 30-year perspective. N Engl J Med. 1979;301:180–3.
21. Pincus HA, Henderson B, Blackwood D, Dial T. Trends in research in two general psychiatric journals 1969–1990: research on research. Am J Psychiatry. 1993;150:135.
22. Nissen T, Wynn R. The recent history of the clinical case report: a narrative review. J R Soc Med Sh Rep. 2012;3:87.
23. Sun GH, Oluseyi A, Hayward RA. Open access electronic case report journals: the rationale for case report guidelines. J Clin Epidemiol. 2013;66(10): 1065–70.
24. Gagnier JJ, Kienle G, Altman DG, et al. The CARE guidelines: consensus-based clinical case reporting guideline development. J Med Case Rep. 2013;7:223.
25. Rison RA. A guide to writing case reports for the Journal of Medical Case Reports and Biomed Central Research Notes. J Med Case Rep. 2013;7:239.

제 3 장

증례보고의 교육적 가치

Clifford D. Packer

증례보고 읽기의 교육적 이점

증례보고는 한 번에 쉽게 읽을 수 있는 명료하고 간결하며 이해하기 쉬운 설명이다. 증례보고는 독특하거나 흔치 않은 환자와의 대면에 관한 서술 이상을 보여준다. 잘 작성된 증례보고는 관련 문헌에 대한 심도있는 고찰을 제공하고, 다른 유사 증례와 비교하여 대상 증례를 맥락에 맞게 배치하며, 발생한 사례를 설명하는 가설을 제시하고 명확한 교훈을 만든다. 세심한 독자는 주제 영역에 대한 깊은 이해와 진단과 관리에 있어서의 특이사항에 대한 통찰을 모두 얻을 수 있다. 전염성단핵구증infectious mononucleosis에서 기도가 손상되는 흔치 않은 상황에 대해 나의 옛 학생 중 한 명이 작성했던 증례보고를 살펴보자.[1]

우리는 전염성단핵구증에서 중증 편도 비대tonsilar hypertrophy가 치명적인 기도 폐쇄를 유발하는 드문 사례를 배울 수 있었으며, "목소리의 변화hot potato voice"와 목의 CT 영상에서 "부종으로 맞닿은 편도kissing tonsils"의 핵심 소견을 확인할 수 있다(그림 3.1). 또한, 인두기도 폐쇄의 감별진단에 편도 주위 농양, 후두개염, 루드비히 협심증Ludwig's angina, 혈관부종, 이물질, 신생물 및 국소 외상이 포함된다는 사실도 배우게 된다. 문헌 검토 결과, 한 증례군 연구에서 단핵구증 환자 467명 중 5명만이 기도의 손상이 있었으며, 대부분 환자는 코르티코스테로이드에 잘 반응하였

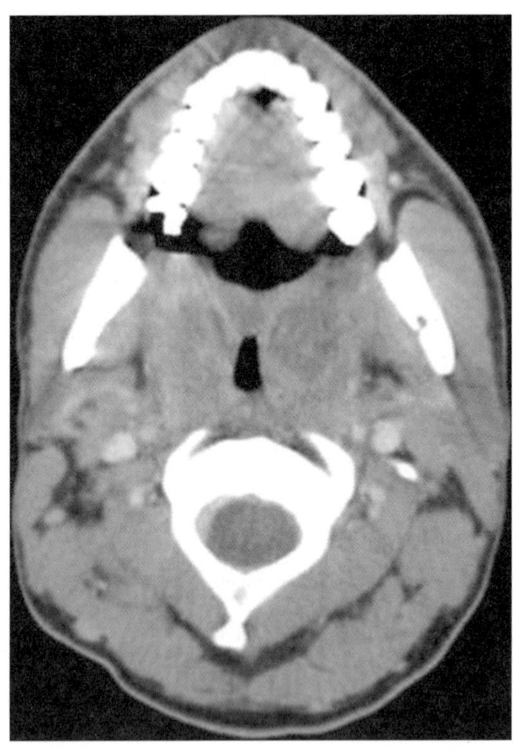

그림 3.1 " 부종으로 맞닿은 편도(kissing tonsils)의 CT 영상"[1]

고 편도선 절제술이 필요한 환자는 거의 없었다. 마지막으로 저자는 진단으로 이어진 임상추론을 다음과 같이 명확하게 설명하였다.

이 환자는 이미 전염단핵구증 진단을 받았으나, 인두 삼출물도 심하지 않았고 예방접종을 받은 적이 있어서 디프테리아를 배제할 수 있었다. 후두경 관찰 결과 인두의 이물질, 신생물, 농양이 없었으며 편도 부종만 확인되었다. 연쇄상구균 중복 감염에 대한 배양검사는 음성이었다. 종합적으로, 이 환자의 증상은 동

반한 질병의 악화와 무관하며 전염성 단핵구증에 의해서만 유발된 것임을 확인하였다.[1]

이처럼 10분 안에 읽을 수 있는 3페이지 분량의 증례보고를 통하여 독자는 감별진단, 병인, 역학, 진단검사, 영상소견, 단핵구증에 의한 인두 폐쇄 관리에 대한 요점을 학습할 수 있다.

Kreuls 등이 2014년에 작성한 "그람 음성 패혈증이 병발한 중증 에볼라 바이러스 감염 증례"[2]도 살펴보자. 이 보고는 패혈증, 호흡부전, 마비성 장폐색, 뇌병증이 병발한 에볼라 환자가 전신집중치료를 통해 성공적으로 호전된 증례를 세심하게 서술하였다. 환자는 처음 72시간 동안 하루에 4–8리터의 설사를 하여 적극적인 칼륨 보충과 함께 하루 10리터의 정맥 수액 치료가 필요했다. 표에는 활력 징후, 산소 공급, 정맥수액 및 구강을 통한 수분섭취량, 설사와 구토에 의한 체액 손실량, 소변 배출량, 체액 균형, 실험실 검사 결과에 대한 27일간의 기록이 들어있다. 도표는 두 개가 있는데, 하나는 날짜별 혈장의 바이러스 RNA수치, 백혈구수, CRP 수치, 항생제 처치가 포함된 그림(그림 3.2)이고 다른 하나는 혈장에서의 항체역가, 혈장과 땀 및 소변에서의 바이러스 RNA량에 대한 그림이다. 이 증례보고의 실무교육적 가치는 엄청나다. 첫째, 이 증례는 에볼라 바이러스 감염의 자연경과를 기록하였다. 둘째, 다른 환자의 치료를 위한 청사진 역할을 하는 주요 감염관리 조치의 세부사항을 포함하여, 성공적인 치료법에 대한 포괄적인 설명을 제공하였다. 셋째, 저자가 본 증례와 문헌고찰에 근거하여 에볼라 환자 치료에 있어 적극적인 정맥수분 공급의 중요성, 정맥 수분공급의 적절성을 기록하기 위한 연속적인 초음파촬영과 기타 검사의 활용, CRP 등의 검사를 통해 같이 발생할 수 있는 세균 감염 징후에 대한 환자 모니터링 필요성 등 치료의 기본 원칙을 제시하였다는 점이다.[3,4] 우리는 무작위 대조 임상시험이 없는 경우 에볼라 바이러스 감염에 대한 최선의 치료를 위해 활용할 수 있는 가장 훌륭한 근거를 이 증례

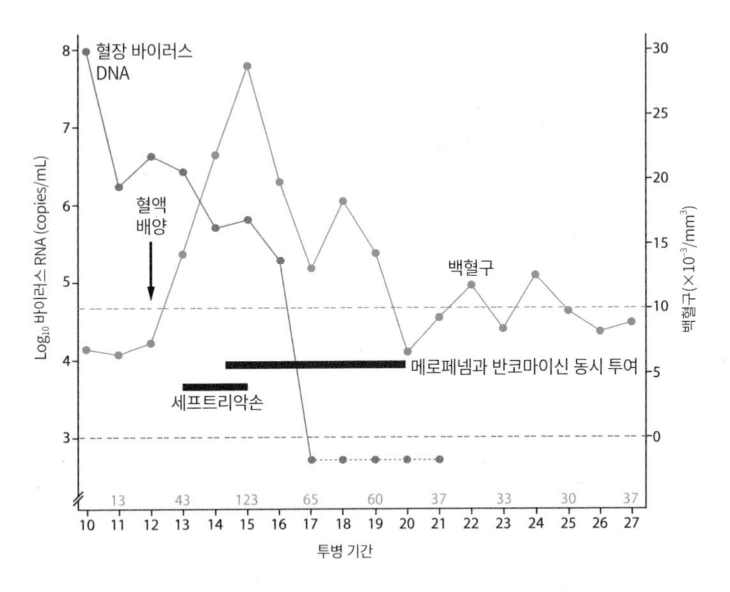

그림 3.2 중증 에볼라 바이러스 질환 환자의 혈장 바이러스 RNA량, 패혈증 및 항균 요법의 타임 라인[2] (Copyright © 2014 Massachusetts Medical Society. Massachusetts Medical Society의 허가를 받아 전재함)

를 통해 얻었다.

증례보고는 임상의가 진료 과정에서 만날 수 있는 드물거나 예상치 못한 상황을 식별하고 대처하는 데 도움이 되는 "인식 패턴"을 생성하게 하기 때문에[5], 일반적인 진단 및 치료 알고리즘으로 설명되지 않는 환자를 마주쳤을 때 매우 유용할 수 있다. 나는 이전에 체중감소와 평상시 기운이 없었던 노인을 병원에 입원시킨 적이 있다. 그의 전립선특이항원PSA 수치는 200이었으며, 생검에서 전립선암이 확인되었다. 전이여부 검사에서 여러 개의 폐 결절이 발견되었지만 뼈와 간으로의 전이는 없었다. 호흡기내과 전문의는 기관지내시경 생검을 추천하였다. 그러나 문헌검색을 통해서 전립선암이 폐로만 전이된 남성의 증례를 여러 건 찾아냈으며, 이들 모두는 호르몬 요법으로 폐전이 결절이 완전 관해되었다. 이 근거를 바탕으로 우리는 기관지내시경을 취소하고 치료를 진행하기로 결정하였다.[6] 이 사례는 증례보고 학습의 가치, 특히 전형적인 증상을 보이지 않는 환자를 평가하고 치료하는 데 있어 실제 교육적 가치가 있음을 분명히 보여준다.

학생과 전공의의 증례보고 작성이 갖는 교육적 이점

몇몇 저술가는 학생과 전공의를 위한 증례보고 출판의 교육적 효과에 대해 토의하였다. Carleton과 Webb은 'The case report in context'라는 논문에서 "증례보고 작성 경험은 작성자의 글 솜씨를 연마하게 하고 동료심사 과정에서 중요한 경험을 제공하며 의료전문가가 학구적인 임상의로서 경력을 준비할 수 있도록 한다." 라고 설명한다.[5] Petrusia와 Weiss는 전공의와의 증례보고 "협업 작성"이 갖는 유익함에 대하여 다음과 같이 분석하였다. 증례보고 작성을 위한 협업은 환자 진료 활동을 보다 학술적인 결과물로 확장시키고, 전공의의 글쓰기 및 비판적 사고 역량을 향상시키며, 유대감 및 학문적 경력에 대한 계획을 발전시킬 수 있도록 하고 교수진의 교육 활동이 문서화되는 동시에 출판된 증례보고가 교육의 "실체를 갖춘 증거"가 된다는 장점이 있다.[7] McNeill 등은 구조와 내용에 대한 비평, 이메일 교신을 통한 초안 완성 및 학술지 선택에 대한 조언을 포함하여 초보 의사에게 의학 출판 및 학술적 글쓰기의 원칙을 교육하기 위한 지침서를 개발하였다. 그들의 목표는 출판을 위한 논문에 요구되는 기량을 발전시켜 경력 전망을 확장하기 위하여 "의학출판에 대한 공식적 교육과 증례보고 작성의 경험적 학습"을 결합하는 것이었다.[8]

나는 내과의 임상실습교육 책임자clerkship director로서 증례보고의 교육적 이점에 대해 점차 눈뜨게 되었고, 지난 7년 동안 모든 학생에게 증례보고를 작성하게 했다. 우리는 실습교육 초반 1시간 동안 회의를 통하여 증례보고의 근거가치, 증례를 선택하는 방법, 보고서를 구성하고 발표하는 방법에 대해 논의하였다. 보고서는 2–3개의 참고문헌을 갖추고 최소 400단어 이상으로 구성되어야 한다. 여섯 째 주에 다시 모여 학생들은 자신의 증례보고를 발표하고 질문에 답하며 피드백을 받는다. 모든 학생들이 이 과제를 완료했으며 대부분 적절한 증례를 선택하였고 나의 도움 없이도 논리적인 고찰을 작성할 수 있었다. 지금까지 이 프로젝트로 250개 이상의 증례보고, 35개 미국 의학회 및 미국 내과학회ACP & SGIM 초록을 작성하였고, 그리고 동료심사를 하는 내과학, 약리학, 정신과 학술지에 15개 증례보고가 출판되었다. 학생 증례보고에는 다음의 주제[9]들이 포함되어 있다.

- 리튬 독성으로 인한 일과성 피질경유 운동 실어증transient transcortical motor aphasia
- 스핀고모나스 파우치모빌리스Sphingomonas paucimobilis 세균혈증이 있는 환자의 알코올성 간경변
- 메티실린 감수성 황색포도구균MSSA 관련 전이성 안구내염
- 편평세포 폐암의 좌심방 침범
- 디클로페낙 관련 호중구 감소증
- 괴사성 췌장염 및 전립선 농양과 관련된 문맥염
- 장미 가시 손상으로 인한 판토에아 아글로메란스Pantoea agglomerans 세균혈증
- 경사대clivus로 전이된 전립선암의 우발적 복시 소견
- 만성림프부종을 동반한 62세 남성의 우상토착상피병Elephantiasis nostras verrucosa
- 간경변이 있는 남성의 잠복 시트로박터 프룬디Citrobacter freundii 세균혈증

- 이필리뮤밥Ipilimumab(전이성 흑색종 면역치료제 – 역자 주)에 의해 유발된 전대장염pancolitis
- 전이성 위암으로 인한 B형 젖산산증
- 카나비노이드 과다구토 증후군
- 부데소니드budesonide와 리토나비르ritonavir의 상호작용으로 인한 쿠싱 증후군
- 반응성 관절염, 그레이브스병 및 온난자가항체에 의한 용혈성 빈혈warm autoimmune hemolytic anemia 동반 양상
- 불명열이 나타난 황색육아종신우신염xanthogranulomatous pyelonephritis
- 레지오넬라 폐렴 및 B12 결핍 상태의 가역뇌량팽대병변경도뇌병증mild encephalitis with a reversible splenial lesion, MERS

증례보고를 출판한 15명의 학생 중 14명은 공동 저자로서 멘토 교수의 도움이 필요했으며, 한 학생만이 단일 저자로 출판할 수 있었다.[1] 증례보고는 출판 전에 여러 번 수정해야 하는 경우가 많기 때문에, 학생들과의 공동 저술은 보통 몇 개월이 소요되는 멘토링과 수정 전후의 많은 토론이 필요하다. 거의 모든 경우 배움은 양방향으로 이루어지고 학생들은 멘토링에 대하여 매우 고마워하게 되므로 증례보고 출판 후에도 새로운 협업을 위한 문이 열려 있게 된다.

시간이 갈수록 학생들이 증례의 선택, 연구 및 보고서의 작성에 관한 유용한 기술을 많이 배우고 있음이 분명해졌다. 증례 선택은 수준 높은 관찰 및 패턴 인식 기술이 관련된 복합적인 과정이다. 흔치 않은 사건을 설명하기 위한 가설을 만들어내려면 철저한 연구와 병태생리학에 대한 명료한 이해 그리고 창의력의 질주가 필요하다. 증례보고 작성에는 수사학적 다양성rhetorical versatility이 필요하다. 즉, 증례 기술의 서사적, 묘사적 요소를 고찰의 종합적이고 논증적인 요소와 결합시키는 능력이 필요하다. 또한 증례보고는 환자의 병을 이해하고 설명하려고 할 때조차도 환자의

이야기를 한다는 점에서 "환자 중심"이다. 학생들은 증례보고를 통해 환자의 과학적 측면과 인본주의적 측면을 모두 살피도록 (그리고 연결하도록) 교육받을 수 있다.[10]

학생들은 가설을 전개할 때 인상적인 창의성과 번뜩이는 기지를 보여주었다. 한 학생은 신장 경색과 구강생식기 궤양이 있는 베체트 증후군의 비정형 소견을 보이는 환자를 보고하였다. 이 환자는 진료기록상 엡스타인 기형Ebstein anomaly 병력이 있었으나 현역 군인으로 복무했을 만큼 건강했기 때문에 학생은 혹시 오진이 아니었을지 궁금해 했다. 그는 문헌 검색을 통해 베체트병에 관련된 심내막 심근섬유증이 엡스타인 기형처럼 보일 수 있음을 확인하고 베체트로 심장 초음파에서 보이는 우심방과 삼첨판이상을 설명하는 가설을 세웠다. 이 추측은 오래된 수술기록을 검토하여 사실로 확인되었다.

임상의의 증례보고 작성이 갖는 교육적 이점

캐나다의 저명한 의사인 윌리엄 오슬러 경은 존스 홉킨스 대학에서 현대적 교육 서비스 기초를 세웠고 단일 저자에 의한 마지막 의학교과서를 집필하였으며 옥스퍼드 대학 흠정교수regius professor가 되었다. 오슬러 박사는 180편이 넘는 증례보고를 출판했으며, 동료 의사들에게 다음과 같은 조언을 남겼다. "항상 특이한 사항을 메모하고 기록하고… 그것을 출판하십시오. 짧고 간결한 메모로 영구적인 기록을 남기십시오. 이런 의사소통은 언제나 가치가 있습니다."[11] 의학 저술 및 출판과 관련하여 그는 다음과 같이 덧붙였다.

애로사항이 있다면 젊은 사람은 너무 많이 쓰고, 원숙한 사람은 너무 적게 쓴다는 것입니다. 시장에 너무 많은 풋과일이 팔려 나가고, 좋은 나무의 많은 열매는

전혀 수확되지 않고 있습니다.[12]

오슬러는 원숙한 의사는 자신의 중요한 임상적 관찰과 통찰을 다른 이들과 공유하기 위해 출판해야 할 의무가 있다고 생각했다. 물론 개업의가 환자에 대한 증례보고를 작성하기에는 늘 너무 바쁘다는 것(또는 너무 바쁘다고 느끼는 것)이 문제다. 지역사회 의사는 일반적으로 환자는 더 많이 보지만, 대학의 의사보다 출판 역량에 대한 확신이 없을 수 있다. 충분히 참신한 증례를 보유한 의사라면 누구나 그것을 출판할 수 있고, 또 출판해야 한다는 것이 우리의 주장이다. 출판의 이점은 드문 증례를 철저히 연구하여 얻은 전문지식, 한 사람의 관찰 또는 혁신을 더 많은 독자에게 전할 수 있는 기회, 그리고 증례보고를 작성한 과거와 현재의 모든 의사가 학문적으로 연결될 수 있다는 점이다. 근거 피라미드의 바닥에 지식의 벽돌 한 두 개를 배치했다는 것(또는 상자에 사과를 하나 더하여 오슬러의 은유를 완성했다는 것)도 지극히 보람있는 일이 될 수 있다. 특히 다른 의사가 나의 보고를 인용할 때 더욱 그렇다. 이 책의 주된 목표는 모든 의사가 오슬러의 기록 의무를 준수할 수 있도록 돕는 것이다. "항상 특이한 점을 메모하고 기록하고… 그것을 출판하십시오."

참고문헌

1. Kakani S. Airway compromise in infectious mononucleosis: a case report. Cases J. 2009;2:6736.
2. Kreuels B, Wichmann D, Emmerich P, et al. A case of severe Ebola virus infection complicated by gram-negative septicemia. N Engl J Med. 2014;371:2394–401.
3. Aitken LM, Marshall AP. Writing a case study: ensuring a meaningful contribution to the literature. Aust Crit Care. 2007;20(4):132–6.
4. Jenicek M. Clinical case reporting in evidence-based medicine. Oxford: Butterworth-Heinemann; 1999. p. 56.

5. Carleton HA, Webb ML. The case report in context. Yale J Biol Med. 2012;85(1):93–6.
6. Packer CD. The MEDLINE search as a diagnostic maneuver. Arch Intern Med. 2005;165(6):703–7.
7. Petrusa ER, Weiss GB. Writing case reports: an educationally valuable experience for house officers. J Med Educ. 1982;57(5):415–7.
8. McNeill A, Parkin CK, Rubab U. Using a case report to teach junior doctors about medical publishing. Med Teach. 2007;29(5):511.
9. Packer CD. Case reports: good evidence, good for teaching. SGIM Forum. 2014;37(8):10, 14.
10. Packer CD, Katz RB, Krimmel JD, Iacopetti CL, Singh MK. A case suspended in time: the educational value of case reports. Acad Med. 2016. PMID:27097050. doi: 10.1097/ACM.0000000000001199. [Epub ahead of print].
11. Thayer WS. Osler, The Teacher Sir William Osler, Bart. Baltimore: Johns Hopkins Press; 1920. p. 51–2.
12. Osler WD. Johnston as physician. Washington Med Ann. 1902;1:158–61.

제 4 장

증례보고의 실질적 이점

Gabrielle N. Berger

도입

증례보고는 임상의가 새로운 관찰 결과를 다양한 독자에게 전하는 중요한 수단이다. 최근 수십 년 사이 학술지의 영향력 지수impact factor를 높이는 과학논문 출판에 관심이 집중되었기 때문에, 증례보고의 가치에 대한 논란이 불거졌다.[1] 그러나 이런 추세에도 불구하고 증례보고는 여전히 많은 임상의에게 쉽게 논문출판을 할 수 있는 방법이다. 출판은 경력 향상을 위해 필요하지만, 정교한 연구를 수행할 역량이 부족한 전공의와 이제 막 경력을 시작한 교수들에게 논문 출판은 쉽지 않은 일이다.[2,3] 이 장에서는 증례보고의 역할 중 의학 문헌, 환자 진료, 학문적 경력에 대한 기여에 초점을 두어 증례보고의 실질적인 이점을 다루고자 한다.

의학 문헌에의 기여

수백 년 동안 증례보고는 의학 문헌 내에서 매우 존중받는 위치에 있었다 (제2장 참조).[4] 그리스 고전 시대에 뿌리를 두고 있는 현대의 증례보고는 병태생리학과 질병에 대하여 임상의 사이의 지식교환을 돕는 중요한 의사소통방법으로 발전했다. 증례보고는 기본적으로 관찰에 기반을 둔다. 이를 통해 의사는 증례보고를 질병의 특이한 소견, 혁신적인 수술 및 시술 술

기, 신약 효과에 대한 자신들의 경험 등으로 분류할 수 있다.[5]

의학 증례보고가 수 세기 동안 적실성relevance을 확보해 왔으나, 근거기반의학의 출현은 임상진료에 정보를 제공하는 대규모 연구가 보다 주목받는 새로운 시대의 도래를 알렸다. 이런 맥락에서 근거 수준은 논문이 가지고 있는 강도strength와 엄밀성rigor에 따라 계층화되었고 체계적 문헌고찰과 무작위 대조 임상시험은 근거 기반 피라미드의 정점을 차지하게 된 반면, 전문가 의견, 증례보고 및 증례군 연구는 피라미드의 밑바닥에 자리 잡게 되었다(그림 4.1 참고).[6] 관측 자료observational data에서 벗어나 임상의사결정으로 인도하는 이같은 패러다임 전환은 많은 사람들이 증례보고의 장점을 소홀히 생각하게 만들었다. 실제로 큰 영향력을 가진 학술지에 게재된 증례보고의 수는 지난 수십 년 사이 급격히 줄었다.[1] 증례보고는 대규모 연구 논문만큼 자주 인용될 가능성이 적으므로 학술지 영향력 지수에 부정적인 영향을 미치는 경우가 있다. 학술지는 일반적으로 가능한 영향력 지수를 최고로 높이기 위해 노력하기 때문에 편집자들은 지표의 하락을 우려하여 증례보고 출판을 주저하는 경우가 많다.

비록 관찰적이며 심지어 일화적인 성격을 띠기도 하지만, 증례보고와 증례군 연구는 근거기반의학의 플랫폼에서 여전히 중요한 골자로 남아 있다. 신종 질병의 발표 및 치료 효과에 대한 출판은 후속 연구의 원동력이 되며 의사들은 질병의 새로운 경향이나 패턴의 출현에 주목하게 한다.[8] 미국 질병관리본부CDC에서 발행한 1981년도 질병 및 사망률 주간보고Morbidity and Mortality Weekly Report, MMWR에서 주폐포자충 폐렴Pneumocystis pneumonia을 앓고 있는 5명의 동성애자 남성에 대한 보고를 보자.[9]

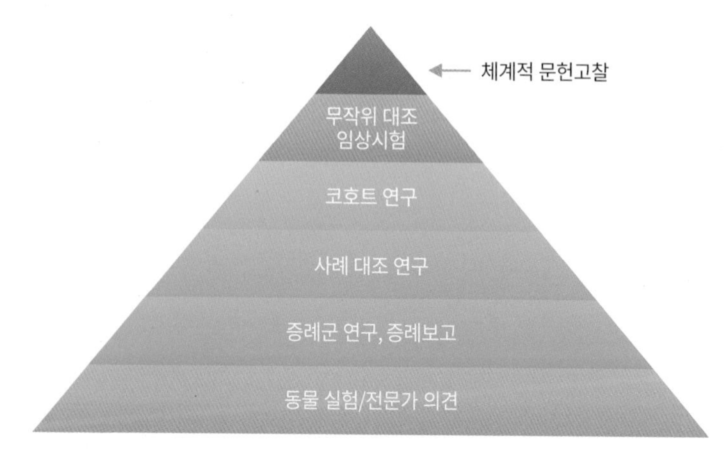

그림 4.1 근거의 계층화(The hierachy of evidence)

이 간행물은 후에 후천성 면역 결핍 증후군AIDS으로 알려진 새로운 질환에 대한 최초의 기술이었다. 또 HIV에 연관된 카포시 육종[10]과 거대세포바이러스로 인한 망막염[11]을 비롯하여 특정한 기회 감염과 HIV 사이 연관성도 증례보고에서 처음 기술되었다. 지금도 새로운 질병이 발견되면 높은 평가를 받는 학술지에서 증례보고나 증례군 연구를 출판한다. 예를 들면 미국에서 출현한 동물 기원성 회선사상충 낭창zoonotic Onchocerca lupi[12], 또는 수혈에 의한 변종 크로이츠펠트 야콥병 전염[13]의 경우처럼 이전에 알려진 질병 개체가 새로운 공중 보건 위험을 일으키는 사례도 포함될 수 있다. 이와 유사한 사례들은 의학 문헌에 대한 증례보고의 기여를 돋보이게 한다. 새로운 의학적 관찰을 신속하게 전파할 수 있는 증례보고 및 증례군 연구의 능력이 없다면, 더 크고 엄격한 연구들이 제공할 수 있는 근거는 제한적일 것이다(그림 4.2 참고, Pearson[7]에서 개작).

증례를 위한 지침

과학적 탐구의 미래 경로를 시작하기 위한 메커니즘으로서의 증례보고는 앞에서 설명하였다.[7,14] 그러나 증례보고가 다음 단계 연구에 영향을 미치기 위해서는 방법론 및 보고 기준이 충분히 엄격해야 한다는 공감대가 형성되고 있다. 무작위 대조 임상시험CONSORT[15], 체계적 문헌고찰 및 메타분석PRISMA[16], 유해사례 보고[17] 등 다른 연구설계에는 보고지침이 마련되어 있다. 최근의 증거들을 보면 CONSORT지침을 채택한 학술지가 보다 완성도 높은 무작위 대조 임상시험 논문을 투고받게 됨을 알 수 있다.[18]

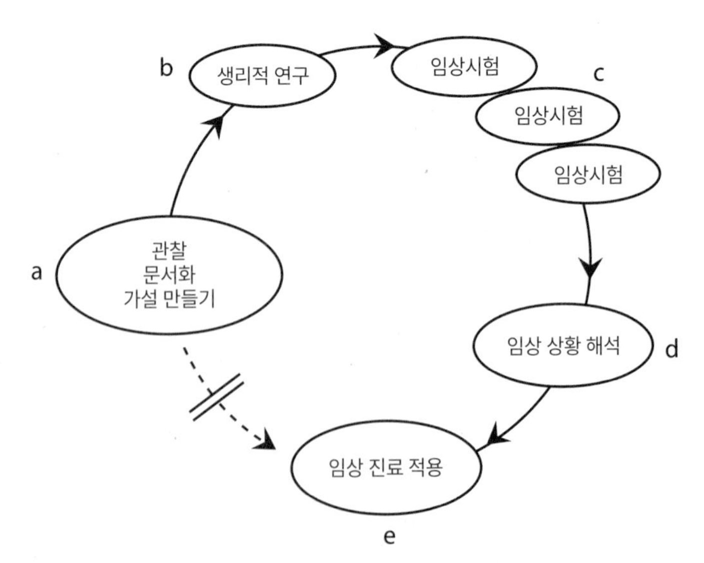

그림 4.2 개별 사례에 대한 관찰 및 문서화가 실제 변화로 이어지는 과정. 단일 증례 관찰을 근거로 확대된 임상 적용 가능성과 질병 기전에 대해 추측하는 것이 가능하지만, 미래의 환자 치료 방침 변경을 정당화하기 위해서는 한 가지 경험보다 훨씬 더 많은 단계와 보다 높은 수준의 증거가 필요하다.

최근까지 증례보고에는 이와 비슷한 지침이 없었다. 그러나 증례보고를 출판하기 위한 온라인 전문지online outlet가 출현하고 투고되는 증례보고의 질이 향상되면서, 이런 관심을 바탕으로 2013년 임상의와 연구자로 구성된 학제 간 협업 팀이 CARE (CAse REport) 지침을 출판하였다.[14] CARE 지침은 저자가 주요 임상 데이터를 정확히 포착하고 해당 데이터를 증거 중심의 간결한 증례보고로 변환할 수 있는 체크리스트를 제공한다. 13개의 개별 항목으로 구성된 체크리스트는 저자가 증례보고 작성 프로세스를 만드는 데 도움이 되기 위해 만들어졌다. CARE 지침 또는 다른 표준화된 지침을 채택하면 원고의 완성도를 높일 수 있고 증례보고를 의학 문헌에서 보다 존중받는 요소로 복구하는 일에 도움이 될 수 있다.

환자 진료에 대한 공헌

증례보고는 임상의가 표준적인 진료에서 벗어난 임상경험을 공유하도록 한다는 점에서 환자에게 직접적으로 유익하다. 대다수 의사들은 그들의 일상진료에 근거기반의학을 적용하고 싶어 하지만, 의학적으로 "애매한 영역grey zone"에 속하는 환자는 늘 존재한다. 예를 들어, 환자는 의사가 잘 알고 있지 않은 증후군과 임상 해석이 안되는 혼란스러운 증상을 나타낼 수 있다. 이런 경우 의사는 환자를 어떻게 치료할지 결정을 할 근거가 부족하기 쉽다. 이전 증례보고들과 환자 소견을 비교해 보는 의사의 기량은, 의사가 진단을 내리는 것과 환자 스스로 추가적인 해결책을 찾도록 내버려 두는 것과의 차이만큼이나 의미가 있다.

근거기반의학의 한계는 환자가 공격적인 치료를 따를지 말지 결정을 앞두고 있을 때 자주 나타나며, 일부 환자는 공격적인 치료를 선택하면서 심각한 부작용이 나타나기도 한다.[5] 의사에게 치료 이점에 대해 설명을 듣더라도, 환자는 삶의 질에 대한 개인의 목표에 따라 권고받은 치료 계획을 거절할 수 있다. 이 상황에서 의사는 문헌을 활용하여 환자를 위한 추가적인 치료 선택지를 찾아야 한다. 다른 의사가 어떤 대안 치료를 선택했으며 그 결과가 어땠는지 기록한 증례보고는 환자의 선호에 따라 권고사항을 조정하는 데 도움이 될 것이다.[19]

특정 질병의 관리에 대한 명확한 지침이 없는 경우에도 증례보고는 다른 임상의에게 유사한 시나리오에서 거쳐 간 복잡한 의사결정 과정을 보여 줄 수 있다. 동료들이 어려운 임상 질문에 어떻게 대처했는지 통찰을 얻으면, 자신의 환자에게 최선의 조언을 하기 위한 내적 고민을 검증할 수 있다. 이는 특히 외딴 지역에서 근무하는 의사, 동료나 분과전문의와 상담할 수 없는 상황의 의사에게 적합하다.

의사가 일상적인 진료를 하기 위해 정보를 얻을 때 근거기반의학에 대한 의존도가 증가하고 있지만, 많은 환자들이 보이는 증상이나 그들이 선호하는 치료가 늘 "교과서적"인 것은 아니다. 이런 상황에서 누군가에게 어떻게 조언을 구해야 할지 아는 것은 환자에게 보다 나은 진료를 제공하려는 의사에게 필수적이다. 증례보고는 기존 근거 밖에서 지침을 찾는 임상의에게 추가 임상경험을 제공하는 귀중한 자원인 것이다.

경력 향상

증례보고는 다양한 수련 과정에 있는 의사들에게 실용적이면서도 성취 가능한 학술활동scholarship 방법을 제공한다. 많은 학생들과 새내기 교수들은 학문 생산성을 입증하기 위해 의학 문헌 출판을 원한다. 그러나 의학 글쓰기는 시간을 들여 연습하고 연마해야 하는 기술이다. 양질의 연구 원고 작성 방법을 배우는 것은 멘토링과 끈기가 필요한 반복적인 과정이다. 게다가 원고의 출판승인 가능성은 저자의 의학 문헌 출판 경험과 대부분 관련이 있다. 증례보고를 작성하는 것은 의학 글쓰기 경험을 쌓는 데 효과적이며 향후 연구 프로젝트의 성공적인 출판에 영향을 줄 수 있다.

증례보고 출판은 의대생과 레지던트에게 특히 도움이 될 수 있다(제 3장 참조). 증례보고는 간단하다. 우선 연구 방법론이나 1차 자료 분석 기술 등에 대한 배경지식이 필요하지 않다. 증례보고 프로젝트를 효과적으로 진행하려면 준비와 사전검토가 필요하지만, 엄밀한 연구 원고를 쓰는 것보다 훨씬 쉽게 달성할 수 있는 목표이다. 전국 학술대회에서 자신의 연구를 발표한 적이 있는 내과 레지던트 대상 설문조사에서 증례보고 준비 소요 시간의 중위값은 50시간이었고, 연구요약research abstract의 경우는 200시간이었다.[20].

이제 막 경력을 시작한 의대생은 일반적으로 환자의 진료에 높은 에너지와 열정을 보인다. 그들은 종종 이런 흥분을 입증할 수 있는 증례보고 프로젝트에 의욕적으로 참여한다. 증례보고는 의대생이 하기에 이상적인 프로젝트다. 이 프로젝트 범위는 제한되어 있지만 아래 사항들을 포함해 다양한 연구 기술을 개발할 수 있는 기회를 제공한다.

- 문헌 검색 수행
- 초록 구성
- 학술지의 기대치에 부합하는 원고 작성
- 멘토와 함께 하는 수정에 여러 차례 참여
- 투고 및 심사 절차의 탐색

학생이나 레지던트의 의학 문헌 출판은 지적 호기심, 과학적 탐구에 대한 헌신 그리고 학술 프로젝트 수행 역량을 보여준다. 제한된 시간 내에 증례보고 프로젝트에 전념하여 보고를 완수하는 것은 연구 원고를 투고하는 것보다 쉽기 때문에 더 실용적일 수 있다. 성공적인 출판실적을 갖춘 학생은 전공의나 펠로우 임용에 더 매력적인 후보가 되므로 프로젝트를 완료할 수 있는지의 여부는 중요하다.

학술 활동은 대학에서의 승진에도 필요하다. 교육기관 내에서 임상의 겸 의학 교육자 진로(또는 유사 경로)를 추구하는 교수의 경우 증례보고 출판이 승진 기준을 충족하는 데 도움이 될 것이다. 기초 의학 교수의 경우를 제외하고 많은 대학병원 승진심사위원회가 증례보고를 가치 있는 문헌 실적으로 인정한다. 특히 동료심사 저널에 증례보고가 실린 경우 그 증례는 이력서에 출판 실적으로 기재될 것이다. 증례보고 제1저자 또는 마지막 저자로 활동하는 것은 더욱 유익할 수 있다. 제1저자 교수는 프로젝트를 이끌고 완성하는데 대부분의 책임이 있는 사람으로 간주된다. 반대로 마지막 저자인 교수는 프로젝트 멘토 역할을 수행한다. 이 위치의 교수는 후배 동료에게 리더십, 감독, 비전 및 멘토링을 제공한다.

마지막으로 교수진의 증례보고 출판은 특정한 상태나 질병 소견에 대한 전문성을 개발할 수 있게 만든다.[2] 교신 저자는 비슷한 환자로 어려움을 겪고 있는 다른 의사들의 문의를 전 세계에서 받을 수 있다. 이 교신은 다른 기관 동료들과 협력 기회를 제공하기도 한다. 단일 증례보고로 시작된 프로젝트는 증례군 연구가 되어 대규모 연구 기반을 만들 수도 있다. 이 과정은 장래에 증례보고가 어떻게 과학적 탐구의 발판 역할을 할 수 있는지 보여주는 하나의 예일 뿐이다.

결론

증례보고는 의학 문헌의 중요한 구성요소로 존재하며, 임상의와 환자 그리고 의학적 글쓰기 경험을 얻으려는 사람들에게 많은 실질적 혜택을 제공한다. 증례보고는 근거 기반 피라미드의 기저를 이룬다. 증례보고는 새로운 질병 개체, 새롭게 나타난 질병 패턴, 잠재적 약물 부작용, 그리고 표준 치료와는 다른 치료 목표를 가진 환자를 위한 대안적 치료 선택지를 조명한다. 증례보고는 학생과 저년차 교수에게 학문적 발전 및 승진의 핵심 요소인 의학 문헌 출판으로 다가가기 쉬운 경로를 제공한다. 의료행위에 대한 정보를 제공하는 과학적 연구의 역할을 과소평가할 수는 없으나, 증례보고는 의학 문헌의 필수 구성 요소로써 과학적 연구와 비슷한 수준의 가치로 평가되어야 한다.

참고문헌

1. Warner JO. Case reports–what is their value? Pediatr Allergy Immunol. 2005;16(2):93–4. doi: 10.1111/j.1399-3038.2005.00266.x.
2. Bhattacharrya S, Miller J, Ropper AH. The case for case reports. Ann Neurol. 2014;76(4):484–6. doi: 10.1002/ana.24267.
3. Stephens J, Wardrop R. Scholarship improved by case report curriculum. Clin Teach. 2016. doi: 10.1111/tct.12460.
4. McCarthy LH, Reilly KEH. How to write a case report. Fam Med. 2000. doi: 10.1136/bmj.327.7424.s153–a.
5. Nissen T, Wynn R. The clinical case report: a review of its merits and limitations. BMC Res Notes. 2014;7:264.
6. Honeybul S, Ho KM. The role of evidence based medicine in neurotrauma. J Clin Neurosci. 2015;22(4):611–6.
7. Pierson DJ. How to read a case report (or teaching case of the month). Respir Care. 2009;54(10):1372–8. http://www.ncbi.nlm.nih.gov/pubmed/19796418. Accessed 16 Mar 2016.
8. Albrecht J, Meves A, Bigby M. Case reports and case series from Lancet had significant impact on medical literature. J Clin Epidemiol. 2005;58(12):1227–32. doi: 10.1016/j.jclinepi.2005. 04.003.
9. Centers for Disease Control (CDC). Pneumocystis pneumonia–Los Angeles. MMWR Morb Mortal Wkly Rep. 1981;30(21):250–2. http://www.ncbi.nlm.nih.gov/pubmed/6265753. Accessed 25 Mar 2016.
10. Dotz WI, Berman B. Kaposi's sarcoma, chronic ulcerative herpes simplex, and acquired immunodeficiency. Arch Dermatol. 1983;119(1):93–4. http://

www.ncbi.nlm.nih.gov/pubmed/6849574. Accessed 22 Mar 2016.

11. Bachman DM, Rodrigues MM, Chu FC, Straus SE, Cogan DG, Macher AM. Culture-proven cytomegalovirus retinitis in a homosexual man with the acquired immunodeficiency syndrome. Ophthalmology. 1982;89(7):797–804. http://www.ncbi.nlm.nih.gov/pubmed/6289217. Accessed 22 Mar 2016.
12. Cantey PT, Weeks J, Edwards M, et al. The emergence of zoonotic onchocerca lupi infection in the United States–a caseseries. Clin Infect Dis. 2015:civ983. doi: 10.1093/cid/civ983.
13. Wroe SJ, Pal S, Siddique D, et al. Clinical presentation and premortem diagnosis of variant Creutzfeldt–Jakob disease associated with blood transfusion: a case report. Lancet (London, England). 2006;368(9552):2061–7. doi: 10.1016/S0140-6736(06)69835-8.
14. Gagnier JJ, Kienle G, Altman DG, Moher D, Sox H, Riley D. The CARE guidelines: consensus-based clinical case report guideline development. J Clin Epidemiol. 2014. doi: 10.1016/j.jclinepi.2013.08.003.
15. Schulz KF. CONSORT 2010 statement: updated guidelines for Reporting Parallel Group randomized trials. Ann Intern Med. 2010;152(11):726. doi: 10.7326/0003-4819-152-11-201006010-00232.
16. Moher D, Liberati A, Tetzlaff J, Altman DG. Preferred reporting items for systematic reviews and meta-analyses: the PRISMA statement. PLoS Med. 2009;6(7):e1000097. doi: 10.1371/journal.pmed.1000097.
17. Kelly WN, Arellano FM, Barnes J, et al. Guidelines for submitting adverse event reports for publication. Drug Saf. 2007;30(5):367–73. doi: 10.2165/00002018-200730050-00001.
18. Turner L, Shamseer L, Altman DG, Schulz KF, Moher D. Does use of the CONSORT Statement impact the completeness of reporting of randomised controlled trials published in medical journals? A Cochrane review a. Syst Rev. 2012;1. doi: 10.1186/2046-4053-1-60.
19. Browman GP. Essence of evidence-based medicine: a case report. J Clin Oncol. 1999;17:1969–73.
20. Rivera JA, Levine RB, Wright SM. Brief report: completing a scholarly project during residency training perspectives of residents who have been successful. doi: 10.1111/j.1525-1497.2005.04157.x.
21. Pierson DJ. Case reports in respiratory care. Respir Care. 2004;49(10):1186–94.

제 5 장

정말 좋은 증례인가?

Somnath Mookherjee and Gabrielle N. Berger

도입

증례보고 작성에 있어 흔한 장애물은 이 증례가 출판이 보장될 만큼 충분히 새로운지 확신할 수 없다는 점이다. 사실 대부분 증례는 어딘가에서, 누군가의 관심을 끌고 있을 것이다(증례보고 학술지 찾기에 대한 상세한 내용은 제11장 참고). 그것을 감안하더라도 나의 증례가 가치있을지 불확실하다면 원고를 작성하고 투고하는 데 들이는 노력을 포기하고 싶어질지도 모른다. 이 장에서는 증례 출판 적합성과 관련하여 일반적으로 쓰이는 기준들을 조망하고 당신의 증례를 평가하기 위한 단계적 절차를 제공하고자 한다.

무엇이 좋은 증례를 만드는가?

많은 의사들과 학술지 편집자들은 증례보고를 출판하기 위하여 어떤 기준을 충족해야 하는지에 대한 의견을 밝혔다. 2014년 'Canadian Familiy Physician'의 편집자는 "증례보고에 대한 두 가지 환호Two cheers for case reports[1]"라는 제목의 사설에서 학술지에서 출판을 고려하게 만드는 6가지 유형의 사례를 제시하였다.

- 일상적인 질병의 특이하거나 예상치 못한 소견
- 질병 경과에서 새로운 연관성이나 변형
- 신종 또는 최근에 나타난 질병의 소견, 진단, 관리
- 환자를 치료하거나 관찰하는 과정에서 예상치 못한 사건
- 보고되지 않았거나 드문 부작용 또는 약물 상호 작용
- 복잡한 만성 질환을 가진 환자를 관리하는 새롭거나 유용한 접근 방식

이것은 증례 출판 적합성을 검토하려는 저자들에게 매우 유용한 목록이다. 몇 가지 중요한 점을 강조하고 있는데, 첫째, 질병 경과 자체는 희귀할 필요가 없다. 흔한 질환의 흔치 않은 징후나 합병증은 매우 흥미로우며 교육적 가치를 가질 수 있다. 둘째, 질병의 희귀성 여부를 떠나 특히 예기치 않은 사건이 발생했거나 참신한 접근 방식을 시도할 때 환자 진료에 관한 관찰을 공유하는 것은 새로운 가치가 있다.

"증례보고 작성법"에 대한 조언을 하는 또 다른 논문에서는 증례의 출판 가능성을 더 높이기 위해 갖추어야 할 특징을 다음과 같이 자세히 설명한다.[2]

- 의과학 방향 변화에 기여하는 증례
- 새로운 원리를 설명하거나 현재의 이론을 지지 혹은 반박하여 연구를 활발하게 하는 증례
- 이전에 잘못 이해되었던 임상적 상태나 반응을 설명하는 치료적, 진단적 관찰을 제시하는 증례
- 발견되거나 보고되지 않았던 약물 요법의 부작용 또는 추정할 수 있는 인관관계 소견을 보여주는 증례
- 의사결정 절차를 혼란스럽게 하거나 치료 중 딜레마를 유발하는 예외적인 상태의 조합, 연속적인 사건 또는 환자의 호소
- 한 질병의 경과나 상태가 다른 질병에 미치는 영향에 대한 새로운 관찰 또는

다른 예상치 못한 결과를 야기하는 어떤 상태에 대한 치료법의 새로운 관찰
- 특정 사건이 환자나 의사, 또는 둘 모두에 미친 개인적 영향을 기술하는 보고

이러한 기준 중 일부는 언뜻 보기에는 일어나지 않을 것처럼 보일 수 있다. 그러나, 미국 질병관리본부CDC의 질병 및 사망률 주간 보고Morbidity and Mortality Weekly Report, MMWR에 1981년 주폐포자충 폐렴Pneumocystis pneumonia 환자 5명에 대한 보고가 후천성면역결핍증AIDS라는 신종 증후군에 대한 인식을 촉진하는데 도움이 되었다는 사실을 떠올려보자[3] 제임스 파킨슨 박사의 "떨리는 마비에 대한 에세이An essay on the shaking palsy"는 그의 이름을 따 질환을 정의하게 되었다.[4] 모든 임상의는 경력기간 동안 이례적인 소견과 난제를 가진 환자를 만난다. 당신의 특이한 증례가 언젠가 "의과학 방향 변화에 기여"하리라는 상상은 비현실적인 일이 아니다.

다음의 두 가지 기준을 고려하면 몇 가지 주제가 떠오르기 시작한다. 첫째, 부작용은 학술지 편집자와 임상의의 관심을 불러 일으킨다. 환자를 진료할 때 부작용에 대해 배우는 것은 진료관행을 개선하고 향후 발생을 예방하는 데 대단히 중요하다. 둘째, 흥미롭거나 새로운 치료 경과(예기치 않은 결과가 동반되든 그렇지 않든)는 종종 훌륭한 증례보고의 재료이다. 증례보고를 작성한 의사가 특정 진단 또는 치료 결정에 어떻게 도달했는지 그들의 질병 너머를 예견하는 안목은 비슷한 환자를 만난 동료 의사에게 정보가 될 수 있다. 마지막으로 의학적 관리에 초점을 둔 증례보고도 유용할 수 있다. 새로운 치료 전략이 이 범주에 속한다. 예를 들어 최근 Journal of Neurology, Neurosurgery and Psychiatry의 신경학적 영상 시리즈 논문에서는 환자의 관리 방법을 "나는 이것을 더이상 견딜 수 없습니다! 난치성 초점 반사 간질에 대한 반복대뇌피질자극(I cannot stand this anymore! Chronic cortical stimulation for intractable focal reflex epilepsy)[5]"라는 제목으로 상세하게 설명하였다.

마지막으로 이 목록들은 의사라는 직업에 대한 성찰 개념, 특히 의료 사건이 개인적이거나 직업적인 궤적을 어떻게 형성하는지를 암시적으로 드러낸다. 성찰reflection이나 "관점perspective" 문헌 출판에 대한 관심이 높아지고 있으며, 이런 종류의 논문은 현재 뉴잉글랜드 의학저널NEJM, 미국 의사협회저널JAMA, 랜싯The Lancet을 포함한 가장 영향력이 큰 학술지에도 종종 실리고 있다. 중요해 보이는 증례이지만, 기존 증례보고 양식에 부합하지 않는 경우 한 편의 성찰이 적절할 수도 있다. 위에서 언급한 것 이외에도 많은 일반 또는 전문 저널은 환자와의 중요한 상호작용을 기반으로 한 성찰 문헌을 위한 지면을 제공하지만, 이 책의 목적상 엄밀한 의미에서 증례보고로 간주하지는 않는다.

유용한 논문인 "증례보고 작성과 출판 – 성공으로 가는 길(Writing and publishing case reports – the road to success)"은 증례보고의 10가지 범주를 규정한다.[6]

- 완전한 첫 번째 보고/새로운 질병
- 희귀하고 이전에 드물게 보고된 상태
- 일반적인 질병의 특이한 소견
- 상대적으로 드문 두 가지 증상/징후 사이 예상하지 못한 연관성
- 한 질병 경과가 다른 질병에 미치는 영향
- 환자를 관찰하거나 치료하는 과정에서 예기치 못한 사건
- 한 가지 상태의 치료법이 다른 질병에 미치는 영향
- 치료 또는 시술의 뜻밖의 합병증
- 새롭고 독특한 치료
- 환자관리에 있어서 명백한 실수

이런 기준은 증례 출판 적합성을 숙고하고 검토하는 데 도움이 된다. 이 목록의 새로운 주제 하나는 "실수"를 보고하는 개념이다. 물론 저자는

이런 종류의 원고를 투고하기 전에 기관 안전 관리 담당자와 상황을 논의해야 한다.

당신의 증례를 평가하는 또 다른 방법은 출판물이 의과학에 긍정적인 기여를 할 수 있는지 고려하는 것이다. 증례보고의 5가지 잠재적 기여는 다음과 같다.[7]

- 새로운 질병에 대한 인식 및 설명
- 알려진 질병의 드문 증상에 대한 인식
- 질병 기전의 해명
- 약물(및 기타 치료법)의 유해한 부작용 혹은 유익한 부작용 감지
- 의학교육 및 감시audit

이상에서 설명된 목록들은 증례보고 프로젝트를 할 때 유용한 체계가 될 수 있지만, 엄격하고 기계적으로 적용한다면 많은 중요한 증례가 투고되지 못할 수 있다. 일반 내과학 저널Journal of General Internal Medicine, JGIM의 최근 10개 발행 호issue에 대한 검토를 통해 이와 관련한 유용한 정보를 얻을 수 있다. 이 10개 호에 다음의 여섯 개의 임상 소발표clinical vignettes가 출판되었다. 희귀질환의 새로운 증상(폐-신장 증후군에 동반된 캄필로박터 관련 용혈성 요독증후군[8]), 상대적으로 흔하지 않은 소견(위장관 각기병에서 속발한 젖산 상승[9]), 흔한 문제에 대한 다소 새로운 치료법(완전 비경구 영양 수액법을 대체하는 구강 재수액요법 및 영양공급: 임상 소발표[10]), 희귀 증후군(스타틴 유발 근병증의 특이 증례: 항 HMGCoA 괴사화 자가 면역 근병증[11]), 두 개의 일반적인 진단(노인 여성에서 발작을 동반한 기면증[12], 여름철에 발생한 아급성 운동 실조증 1례: 진드기마비증[13]). 앞서 언급한 증례-적합성 지침을 엄밀하게 고수하였다면 이 같이 잘 작성된 교육적인 논문은 출판되지 못했을 수도 있다.

당신의 증례를 평가하는 절차

증례보고를 작성하려는 저자들은 위에 설명된 목록과 기준을 바탕으로 출판 적합성을 결정하기 위해 자신의 증례에 대해 일련의 질문들을 해야 한다.[14] 이 주제에 대하여 교수진 및 전공의들과 많은 대화를 나눈 후, 우리는 증례 출판 적합성을 평가하기 위한 수정된 5개 질문 알고리즘을 개발하였다.

1. 진단이 있는가?

기존에 우리는 증례보고를 출판하기 위해서는 진단이 있어야 한다고 믿어 왔다. 그러나 발행된 증례보고는 백만 편이 넘고[15] 매년 6만 편이 넘게 추가된다는[16] 점을 명심해야 한다. 출판에 있어 “필수”라 불릴만한 조건은 거의 없으며, “진단이 있어야 한다”는 공리조차도 융통성이 있다. 예컨대 “새로울지 모르는 다발성 내분비 종양 돌연변이(A possible new multiple endocrine neoplasia mutation)”라는 제목의 최근 증례보고에서는 MEN-1 및 MEN-4 돌연변이에 대한 검사결과가 음성인 원발성 부갑상선 기능항진증, 유두 갑상선암, 말단 비대증 및 신장세포암 복합상병 환자에 대해 기술하였다. 제목에도 불구하고 새로운 돌연변이는 실제로 확인할 수 없어 본질적인 진단이 부족하였다. 저자는 정확하고 엄밀하게 “현재 보고된 증례는 MEN-1 또는 MEN-4의 독특하고 참신한 변형을 보여주는 것일 가능성이 높다.[17]”고 명시했지만 정확한 진단을 내리지는 못하였다.

그럼에도 불구하고 진단이 된 증례보고는 확실히 출판 가능성이 더 높다. 진단이 부족한 경우 저자는 더욱 엄격하고 철저하며 포괄적이어야 한다. 그래야 심사자가 원고를 읽지도 않고 “________ 검사만 했더라도 ___________ 진단을 내렸을 것”이라고 말하지 않는다. 또한 대부분의 심사자와 독자는 증례를 읽은 끝에 "진단은 알 수 없었다."는 것을 배우기 원하지 않는다. 차라리 엄격한 진단 기준을 충족하지 않는 새롭거나 변형된 증후군으로 증례를 기술하는 편이 낫다.

2. 특이하거나 드문 주제인가? 또는 흔한 문제에 대한 흔하지 않은 소견인가?

이 질문은 증례보고의 대부분을 차지하며 일반적으로 증례가 처음에 의사의 눈을 사로잡는 이유다. 문헌은 희귀 증후군 또는 희귀 증후군의 징후에 대한 증례보고로 가득 차 있다. 이런 증례보고는 더 큰 증례 시리즈와 미래 과학적 탐구의 기초가 될 수 있다.

3. 특이하거나 드물지 않다면 중요한 임상 이슈를 가지고 있는가?

특별히 드문 증후군이 아니지만, 영향력이 큰 임상 문제는 출판할 가치가 있다. 예컨대, "ST분절상승 심근경색증으로 오인된 조기 재분극 증례(Early repolarization masquerading as STEMI)[18]"는 증례의 시나리오가 별반 희귀하지 않더라도 출판을 고려할 이유가 있는 중요한 주제이다.

4. 진단이나 치료, 관리가 어려운 상황인가?

이 질문에 대한 대답이 "그렇다."이고, 게다가 증례가 드물거나 중요한 것이라면 해당 증례는 출판에 적합할 가능성이 높다. 이런 증례는 임상문제해결CPS 연습으로 출판하기에 적절할 수도 있다(제10장 참고).

5. 중요한 교훈이 있는가?

많은 증례가 위에서 설명한 기준을 충족하지 못하지만, 출판을 고려하기에 충분할 정도로 흥미로울 수 있다. 이것은 종종 "핵심구절punch-line"의 시사점이 많고 신랄하거나 중대한 교훈을 주기 때문이다. "유도철사의 분실: 증례보고(Loss of guide wire: a case report)"[19]라는 논문이 실례이다. 중심 정맥관을 삽입하는 많은 의사들이 유도철사를 잡고 있어야 한다는 것을 기억하는 것은 당연하다. 그러나 유도철사를 붙잡고 있지 않았을 때 생긴 결과("분실된 유도철사는 정맥, 우심방, 우심실, 폐동맥, 폐조직 등을 통해 목 뒤쪽까지 뻗어있는 것이 확인되었다...")를 설명하는 이 증례보고를 읽은 사람들은 절대로 유도철사를 움켜쥔 손을 놓지 않을 것이다. 저자는 "집도의는 유도철사를 항상 꼭 잡고 있어야 한다..."는 교훈을 강조함으로써 간단한 증례를 중요하고 출판할 만한 증례로 만들었다.

결론

위에 설명한 일반적 출판기준은 많은 학술지의 증례 출판이 어떤 가치 평가 방식을 가지고 있는지 개괄적으로 설명한다. 증례보고 작성을 진행하는 것이 적합한지 여부는 5단계 절차를 활용하여 조금 더 구체적으로 평가할 수 있다. 이 과정에서 도출된 결론을 확증하는 가장 좋은 방법 중 하나는 3-4명의 동료들에게 증례를 설명하는 것이다. 그들이 증례보고를 읽으려 하는가? 그것을 흥미롭다고 생각하는가? 증례에 대한 간결한 설명을 통해 그들이 배운 것이 있는가? 사건이 보고할 만큼 충분히 흥미롭다는 데 합의가 이루어지면 이를 발표할 청중과 장소가 있을 가능성이 매우 높다.

참고문헌

1. Pimlott N. Two cheers for case reports. Can Fam Physician. 2014;60(11):966–7.
2. McCarthy LH, Reilly KE. How to write a case report. Fam Med. 2000;32(3): 190–5.
3. Centers for Disease C. Pneumocystis pneumonia–Los Angeles. MMWR Morb Mortal Wkly Rep. 1981;30(21):250–2.
4. Parkinson J. An essay on the shaking palsy. 1817. J Neuropsychiatry Clin Neurosci. 2002;14(2):223–36; discussion 2.
5. Feyissa AM, Britton JW, Van Gompel JJ, Matt SS. I cannot stand this anymore! J Neurol Neurosurg Psychiatry. 2016;87(4):441–2.
6. Chelvarajah R, Bycroft J. Writing and publishing case reports: the road to success. Acta Neurochir (Wien). 2004;146(3):313–6; discussion 6.
7. Vandenbroucke JP. In defense of case reports and case series. Ann Intern Med. 2001;134(4):330–4.
8. Bowen EE, Hangartner R, Macdougall I. Campylobacterassociated hemolytic uremic syndrome associated with pulmonary– renal syndrome. J Gen Intern Med. 2016;31(3):353–6.
9. Duca J, Lum CJ, Lo AM. Elevated lactate secondary to gastrointestinal beriberi. J Gen Intern Med. 2016;31(1):133–6.
10. Wright SM, Noon MJ, Greenough 3rd WB. Oral rehydration therapy and feeding replaces total parenteral nutrition: a clinical vignette. J Gen Intern Med. 2016;31(2):255–7.
11. Nichols L, Pfeifer K, Mammen AL, Shahnoor N, Konersman CG. An unusual case of statin–induced myopathy: anti– HMGCoA necrotizing autoimmune myopathy. J Gen Intern Med. 2015;30(12):1879–83.
12. Suzuki S, Uehara T, Ohira Y, Ikusaka M. Narcolepsy with cataplexy in an elderly woman. J Gen Intern Med. 2015;30(8):1222–4.
13. Laufer CB, Chiota–McCollum N. A case of subacute ataxia in the summertime: tick paralysis. J Gen Intern Med. 2015;30(8):1225–7.
14. Mookherjee S, Berger G. Case reports: a "how to" guide for attendings. SGIM Forum. 2015;38(6):8–9.
15. Rosselli D, Otero A. The case report is far from dead. Lancet. 2002;359 (9300):84.
16. Sun GH, Aliu O, Hayward RA. Open–access electronic case report journals: the rationale for case report guidelines. J Clin Epidemiol. 2013;66(10):1065–70.

17. Buzzola R, Kurukulasuriya LR, Touza M, Litofsky NS, Brietzke S, Sowers JR. A possible new multiple endocrine neoplasia mutation in a patient with a prototypic multiple endocrine neoplasia presentation. Cardiorenal Med. 2016;6(2):129–34.
18. Christianson L, Matthews RV, Rahimtoola SH. Early repolarization masquerading as STEMI. Am J Med. 2014;127(11):e1–2.
19. Guo H, Peng F, Ueda T. Loss of the guide wire: a case report. Circ J. 2006;70(11):1520–2.

제 6 장

시작하는 방법

Somnath Mookherjee and Gabrielle N. Berger

도입

당신과 동료, 전공의가 "우린 이 증례를 작성해야 해!"라고 몇 번이나 말했는지 떠올려보라. 그리고 이제 그 증례 중 몇 개나 실제로 출판되었는지 생각해보자. 많은 저자들이 흥미로운 증례에 대한 열정만큼의 에너지를 원고의 투고로 연결시키지 못한다. 이 장에서는 출판 가능성을 높이는 증례 준비 및 작성에 필요한 초반 4단계의 절차를 소개한다. 표 6.1에 이 핵심 절차를 요약하였다.

표 6.1 증례보고를 시작하기 위한 핵심 절차

1. 동의 취득 – 동의는 항상 받는다!
2. 신속한 영상 및 데이터 수집
3. 팀 구성
4. 당장 무엇이라도 쓴다!

동의 취득

히포크라테스 선서에서: "치료하는 중에는 물론이고 치료하지 않을 때조차도 사람들의 삶에 관해 내가 보거나 들은 것은 무엇이든 결코 발설해서는 안 되는 것으로서, 나는 그러한 것들을 거룩한 비밀이라고 여겨 누설하지 않을 것이다.[1]”

증례보고 출판에 환자의 동의가 필요한지 여부는 혼란의 원인이 되기도 한다. 경험 많은 저자는 종종 동의 필요성을 무시하는 반면, 임상삽화 초록을 학회에 투고할 때에도 동의는 필수 항목이라고 주장하는 사람들도 있다. 혼란이 만연하여 환자가 동의를 거부했는데도 학회에 증례보고를 투고하려는 저자도 있다.[2] 대부분의 저자는 환자가 증례 출판을 원하지 않는 경우, 이를 진행해서는 안 된다고 받아들인다. 보다 일반적인 시나리오는 저자가 동의가 불필요하다 여겨 증례보고를 출판하려 하는 경우이다. 예컨대, 소아 진료에 관련된 윤리적 딜레마에 대한 증례보고가 ‘영국 의학 저널BMJ’에 투고되었는데, 이 원고는 환자 부모들의 사전 동의가 없었기 때문에 거절되었다.[3] 이후 저자는 다른 학술지에서 증례를 출판하였다.[4] 각 학술지 편집자들은 이 문제와 관련한 입장에 대한 공개 토론에서 다음과 같은 의견을 제시하였다.

영국 의학 저널BMJ의 입장 : “비밀유지는 절대적인 가치가 아니며, 관습법common law과 영국 의사를 위한 표준화 기구General Medical Council에서 충분히 공익적이라고 인지하였다면 비밀유지 의무는 동의 없이 위반될 수도 있다. 그러나 이런 공개는 개인에 대한 중대한 피해 예방과 같은 상당한 제한사항이 있다. Issacs과 동료들의 증례연구를 통해 제기된 쟁점에 대해 대중의 관심이 어느 정도 뚜렷해졌음에도, 그들이 어떻게 그런 제한사항을 무시하게 되었는지 이해하기는 어렵다.[5]

소아 청소년 건강 저널The Journal of Paediatrics and Child Health의 입장: “이 경우 부모의 동의를 구하는 과정에서 두 당사자의 관계가 더 악화되고 까다로운 임상적, 윤리적 상황에 대한 적절한 해결을 이뤄낼 가능성이 훨씬 적어질 것이라는 저자들의 주장을 받아들였다. 이 증례의 관리 과정에서 발생한 특별한 임상 및 윤리적 쟁점 이외에도 해당 증례연구는 중요한 윤리적 문제를 제기했다…”[6]

이 사례에서 알 수 있듯이 앞서 언급한 사전 동의 문제는 증례보고 내용이 비밀유지 및 동의에 대한 국제적인 기준을 대체할 수 있을 만큼 공중보건에 얼마나 중요한지에 달려있다. 이는 대부분의 증례보고에 매우 높은 허들로 작용하며, 실제로 현실에서 증례보고 출판이 사회 전체 이익에 필요하다고 주장하는 경우는 매우 드물다.

환자의 개인정보보호에 관한 ICMJE (International Committee of Medical Journal Editors, 국제 의학저널 편집자 위원회) 성명은 동의 문제에 대하여 추가 지침을 제시한다(표 6.2). 이 지침들을 검토하다 보면 증례보고 저자에게 몇 가지 현실적인 문제가 발생한다. 첫째, '식별정보'를 수반하는 것은 정확히 무엇인가? 증례보고에는 환자 병력상 흥미롭거나 종종 특이한 세부 사항이 포함된다. 이론적으로 이런 세부사항과 증례 정황에 따라 독자가 환자를 식별할 수 있다. 공개된 증례보고를 대중이 접할 수 있고, 영상 속 신원을(표면적으로는 식별할 수 없게 되어 있는 영상에서도) 확인할 수 있는 기술이 존재하는 현대사회에서 더욱 그렇다.[8] 둘째, ICMJE는 식별정보에 대한 우려 때문에 환자의 사전 동의를 구한다면 출

표 6.2 국제 의학저널 편집자 위원회 - 개인정보 보호[7]

- 환자는 사전 동의 없이 침해해서는 안 되는 사생활에 대한 권리가 있다.
- 식별 정보는 정보가 과학적 목적에 필수적이고 환자(또는 부모 또는 보호자)가 게시에 대해 서면 동의를 제공한 경우가 아니면 필기로 된 서술, 사진 또는 가계도에 게시해서는 안 된다.
- 출판 목적과 관련하여 사전 동의를 위해서 원고를 환자에게 보여주어야 한다.
- 식별 세부정보는 꼭 필요하지 않을 경우 생략될 수 있지만, 익명성을 이유로 환자 데이터를 변경하거나 위조해서는 안 된다.
- 완전한 익명성을 보장하기는 어려우므로 의심이 가는 경우 사전 동의를 얻어야 한다. 예를 들어, 환자의 사진에서 눈 부위를 가리는 것만으로는 익명성 보호에 불충분하다.
- 학술지 저자 지침에 사전 동의 요건을 포함시킨다.
- 사전 동의를 얻은 경우, 출판 논문에 명시한다.

판 전에 환자에게 원고를 보여줄 것을 권장한다. 이는 많은 경우 비현실적이고 불가능할 수도 있다.

ICMJE는 학술지의 저자 지침에 사전 동의 요건을 포함할 것을 권장한다. 249개 핵심 학술지의 증례보고에 대한 2004년 종설에 따르면, 증례보고를 출판하기 위해 특별히 환자 동의를 요구한 학술지는 29개 뿐이었다.[9] 저자들에게 증례보고의 동의를 얻는 방법에 대한 지침을 제공하는 학술지들간에도 요구항목과 상황에 따른 차이가 있었다. 일부에서는 모든 의학 학술지에 증례보고를 출판할 수 있도록 보편적 환자 동의를 요구했으나[10], 현재 그런 양식은 존재하지 않는다. 따라서 증례보고를 투고할 수 있는 학술지의 수를 극대화하기 위해서 처음에는 가장 보수적인 요건을 갖춘 저널의 요구사항을 따르는 것이 타당하다. BMJ case reports의 저자 지침은 이에 대한 유용한 자료이다(박스 6.1).

증례보고의 동의에 관한 중요사항

박스 6.1 BMJ 증례보고의 환자 동의 관련 요건[11]

"식별 가능한 살아 있는 환자에 대한 개인정보를 공개하려면 환자나 보호자의 분명한 동의가 필요하다. 이는 영국 데이터 보호법에 따른 요구 사항이다. 저자는 여러 언어로 제공되는 BMJ 동의서 양식을 사용해야 한다. BMJ 증례보고에 투고하기 전 환자(또는 친척/보호자) 사전 동의에 서명을 받아야 한다. 환자의 세부 정보(예: 특정 연령, 민족, 직업)를 최대한 익명으로 처리한다. 생존해 있는 환자에서 이는 법적 요구사항이며, 환자 또는 보호자의 명시적인 동의 없이 검토를 위한 논문 발송은 하지 않는다. 환자가 사망한 경우 데이터 보호법이 적용되지 않지만 저자는 친척(이상적으로는 가까운 친척)의 허락을 받아야 한다. 사망한 환자, 보호자 또는 가족의 동의서 서명을 받지 못한 경우 의료팀/병원 또는 법무팀의 책임자는 가족에게 최대한 연락을 시도했다는 점과 서류가 충분히 익명화되어 환자나 가족에게 해를 끼치지 않을 것이라는 점에 대하여 책임이 있다. 이를 위해 서명된 문서를 업로드할 필요가 있다."

- 항상 동의서에 환자의 서명을 받는다!
- 기관별 동의서 양식을 찾아서 확인한다. 대개의 경우 양식 자료실(보통 온라인)에 있다.
- 사용을 고려 중인 모든 영상은 반드시 동의를 받는다. 나중에 영상을 사용하지 않기로 결정하는 것은 쉬우나, 사전 동의 없이는 어떤 영상도 사용할 수 없다.
- 최종 원고를 투고할 5개 학술지의 저자 지침을 점검한다.
- 작성이 필요한 학술지별 동의서 양식이 있는지 확인한다.
- 환자에게 원고의 투고 및 검토 과정을 설명한다. 목표 저널 5개 모두의 동의서 양식에 대한 서명을 부탁한다.
- 각 양식의 사본을 보관하고, 또 다른 사본을 환자의 의무기록에 포함시킨다.
- 증례보고에 식별 가능한 정보가 활용되는 경우 출판에 대한 동의를 얻는 것 이외에도 투고 전 환자에게 원고를 검토하도록 요청한다. 일반적으로 원고를 투고하는 시점에 이르기까지 수개월이 지나 연락이 어려울 수 있으므로 환자와 연락할 수 있는 다양한 방법을 확보한다.

신속한 영상 및 데이터 수집

좋은 증례보고에는 임상적 줄거리를 탄탄하게 하고 교훈을 강조하는 영상이 있다. 증례보고 작성을 고려하는 저자는 즉시(환자의 동의를 얻은 후) 이런 영상을 확보해야 한다.

어떤 영상이 증례보고에 가치를 더할지 고려할 것

- 환자와 쉽게 접할 수 있는 동안(입원환자 환경 또는 외래환자 클리닉에서) 특정 소견의 다양한 기록 사진을 찍는다.
- 결과의 크기를 보여주기 위해서는 영상 근처에 눈금자를 둔다.
- 검진 전후 또는 치료 전후와 같이 교훈을 강조하는 "전후" 영상을 기록한다.

"지면에만 기록된" 연구나 결과를 잊지 말 것

- 서구 선진 국가에서는 의무기록이 대부분 전자기록이지만, 일부 연구 결과는 지면 기록을 통해서만 접할 수 있다. 환자가 퇴원한 후에는 이런 지면 기록을 입수하기 어려운 경우도 있다. 예를 들어 우리 기관에서는 야간 산소측정 결과는 지면에 기록하며, 환자가 퇴원한 후에는 외부 의무기록 보관시설로 사라진다.
- 증례보고를 고려한다면 제한된 시간 동안 접근할 수 있는 모든 지면 기록의 사진을 찍거나 사본을 만들어야 한다.

기타 영상을 조기에 입수할 것

- 환자의 병리, 방사선 및 혈액 관련 영상은 환자가 증례보고 작성을 계획하는 팀에서 치료받고 있는 동안 가장 입수하기 쉽다.
- 가장 좋은 영상을 고르려면 전문가의 도움이 필요할 수 있는데, 이들 공동연구자들은 아직 환자가 그들의 관리를 받는 동안 더 주도적인 도움을 줄 수 있다.
- 반대로 퇴원 수개월 후에 병리학 실험실에 가서 정확한 슬라이드를 찾고 사진을 촬영하는 일은 훨씬 어렵다.

다른 영상의 취득에 대해 창의적으로 생각할 것

- 당신의 특별한 증례에서 가장 인상이 강렬하고 교육적인 것은 무엇인가?
- 환자가 수술할 예정이라면, 수술 팀에 사진 촬영을 부탁한다.
- 환자의 진단에 도움이 되는 별도 연구가 계획되어 있는 경우, 해당 연구 수행 중에 진단 영상을 얻는 것 이외에도 환자의 사진을 촬영한다.
- 고지방 혼탁혈청이 든 시험관이나 특이한 소견을 나타내는 체액과 같이 환자 이외의 흥미로운 소견을 촬영하는 것을 고려한다.

팀 구성

적절한 증례를 골라(제5장 참조) 동의를 얻었으며 영상과 데이터를 수집하였다면 다음 단계는 논문 작성 팀을 구성하는 것이다. 이는 특히 여러 분야의 전문가와 세부 전문가가 환자 진료에 다방면으로 관여하고 있을 때 문제가 될 수 있다. 정확하고 투명하게 각자의 역할과 예상되는 저자됨에 대하여 정하는 것이 필수적이다. 어떤 팀이 환자 진료에 더 큰 역할을 했다면, 그 팀이 증례 작성을 주도할 수 있도록 한발 물러설 준비를 해야 한다. 반대로 다른 사람이 물러나고 당신이 주저자가 된 경우에는 작성을 나중으로 미루지 말고 신속하게 원고를 진행하는 것이 중요하다. 팀원을 선택할 때에는 많은 학술지가 증례보고 저자 수를 엄격하게 제한하고 있으며(종종 4명 이하), 임상 영상 증례의 저자 수는 더 많이 제한한다는 점을 명심해야 한다.

표 6.3에 표준적인 증례보고에서 저자의 책임을 요약하였다. 팀에 제안할 내용을 정확하게 작성하면 각자의 역할과 저자를 분명하게 정할 수 있다. 중간 저자는 제1저자와 마지막 저자보다 작업량이 적지만(중간 저자라는 지위에 적절하도록), 요청이 있었을 때 원고를 교정하고 코멘트를 달아 재빨리 회신할 것에 동의해야 한다. 잠재적 공저자와 역할 및 책임에 대한 논의가 사전에 이루어졌다면, 그 내용을 모든 사람이 알 수 있도록 합의된 내용을 설명하는 후속 이메일을 보낸다(표 6.4). 임상문제해결 원고에 중점을 둔 저자 책임에 대한 자세한 내용은 제10장을 참고한다.

표 6.3 증례보고 저자의 책임

제1저자	중간 저자(들)	마지막 저자/선임 저자
• 동의 취득 • 영상 입수 • 완벽한 문헌 검토 • 원고 초고 작성 • 마감일 확인 • 원고 투고 • 심사자 대응	• 일부 문헌 검토 • 필요한 경우 동의 취득 및 영상 입수의 보조 • 원고 교정 • 신속한 회신	• 적절한 동의 취득인지 확인 • 교훈을 보여주기 위한 영상 선택과 사용에 대한 조언 • 검토 문헌 확인 • 원고 내용, 흐름, 명료함을 위한 광범위한 교정 • 마감일 준수 • 투고 절차 조언 • 제1저자의 심사자 대응 지원
ICMJE 저자 기준 – 모든 저자에게 모든 기준이 충족되어야 함[12] 1. 저작물 구상, 설계에 대한 상당한 기여 또는 데이터 획득, 분석이나 해석 2. 중요한 지적 내용에 대한 초고 작성 또는 비판적 수정 3. 출판본에 대한 최종 승인 4. 저작물의 모든 부분에 대한 정확성 및 진실성에 관련된 질문이 적절히 조사되고 해결되도록 저작물의 모든 측면에 대하여 책임을 진다는 동의		

표 6.4 저자 및 책임 설정을 위한 이메일 예시

“친애하는__________ 박사님께, 이달 초에 ________ 씨를 박사님과 함께 진료할 수 있어 영광이었습니다. 논의 드렸듯이 이 환자의 진료 경과를 증례보고로 출판하면 좋을 것 같습니다. 제가 이 논문의 제1저자가 될 생각입니다. 저는 환자 동의를 얻고, 논의한 이미지를 확보하도록 하겠습니다. 초고는 문헌 검토를 완료한 후 5월 1일까지 전체적인 작성을 마치려고 합니다. 박사님께서 선임(마지막) 저자가 되어주셨으면 합니다. 동의하신다면 제 문헌 검토의 완결성 확인, 초고 검토 및 교정을 6월 1일까지 부탁드립니다. 그리고 심사자 코멘트에 대한 모든 응대를 도와주시기 바랍니다. _________ 박사를 프로젝트 중간 저자로 합류시키고자 합니다. 박사님의 전문분야를 감안하여 이 논문에서 기술할 새로운 치료법에 대하여 각별히 주의를 기울여줄 것을 부탁하려고 합니다. 저는 박사님에게 6월 15일까지 원고를 교정하여 회송해줄 것을 요청할 예정입니다. 이 계획에 동의하신다면 연락주시기 바랍니다. 박사님과 함께 작업할 수 있기를 바랍니다! ___________ 올림”

Mookherjee와 Berger 인용[13]

당장 무엇이라도 쓴다!

증례를 보고하기로 결정한 후 문헌을 검토하여 해당 주제에 대한 선행 보고가 몇 건인지 확인한다. 가능한 최신 증례보고 참고문헌을 활용하여 증례와 관련된 이전 출판물을 신속하게 검색한다. 오래된 출판물은 온라인 데이터베이스로는 찾기 어려울 수 있다. 항상 필요하지는 않지만 대부분 증례보고 서식은 증후군, 상태 또는 소견이 이전에 몇 번의 보고가 있었는지 횟수를 명기해야 한다.

이제 타성을 물리칠 때다! 제7장, 8장, 9장 및 10장에서는 다양한 유형의 증례보고 형식 및 내용에 대한 자세한 지침을 제공하고 있다. 해당 지침을 참고하여 작성을 시작한다! 창작물이란 어떤 것이라도 반드시 광범위한 편집을 해야 함을 염두에 두고 작성한다. 처음에는 스타일이나 어조를 고려할 필요는 없으며 나중에 다듬을 수 있다(원고를 가다듬는 팁에 대해서는 12장을 참고). 간단히 무엇이라도 작성한다. –이것이 프로젝트를 시작하는 유일한 길이다!

결론

매년 수천 건의 증례보고가 출판되지만, 또한 수천 건 이상이 증례 출판 방법에 대한 지식과 경험 부족으로 출판되지 못한다. 이 장에서는 증례보고를 시작하는데 도움이 되는 간단하고 실용적인 체계를 설명하였다. 동의를 얻는데 특히 주의해야 한다. 많은 증례보고가 제때 적절한 동의를 얻지 못해 사장되었다. 증례보고에서 독자의 관심을 끄는 것이 무엇인지 기억해야 한다. 영감을 불러일으키는 영상은 보고의 질을 향상시킨다. 목적의식을 갖고 팀을 만들어 역할과 책임을 명시하도록 한다. 결론은 이렇다. 무엇인가 일단 써라!

참고문헌

1. Thompson IE. The nature of confidentiality. J Med Ethics. 1979;5(2):57–64.
2. Nussmeier N, Saidman LJ, Shafer S. A&A case reports: a progress report and an update on requirements for patient consent. Anesth Analg. 2014;119(6):1251.
3. Isaacs D, Kilham HA, Jacobe S, Ryan MM, Tobin B. Gaining consent for publication in difficult cases involving children. BMJ. 2008;337:a1231.
4. Ryan MM, Kilham H, Jacobe S, Tobin B, Isaacs D. Spinal muscular atrophy type 1: is long–term mechanical ventilation ethical? J Paediatr Child Health. 2007;43(4):237–42.
5. Newson AJ, Sheather J. Commentary: consent and confidentiality in publishing–the view of the BMJ's ethics committee. BMJ. 2008;337:a1232.
6. Oberklaid F. Commentary: consent to publication–no absolutes. BMJ. 2008;337:a1233.
7. Editors ICoMJ. Protection of patients' rights to privacy. BMJ. 1995;311(7015): 1272.
8. Gibson E. Publication of case reports: is consent required? Paediatr Child Health. 2008;13(8):666–7.
9. Sorinola O, Olufowobi O, Coomarasamy A, Khan KS. Instructions to authors for case reporting are limited: a review of a core journal list. BMC Med Educ. 2004;4:4.
10. Aldridge RW. Simplifying consent for publication of case reports. BMJ. 2008;337:a1878.
11. BMJ Case Reports: Instructions for authors. Available from: http://casereports.bmj.com/site/about/guidelines.xhtml.
12. Guidelines on authorship. International Committee of Medical Journal Editors. Br Med J (Clin Res Ed). 1985;291(6497):722.
13. Mookherjee S, Berger G. Case reports: a "how to" guide forattendings. SGIM Forum. 2015;38(6):8–9.

제 7 장

전통적인 증례보고 작성법

Clifford D. Packer

제목(The Title)

증례보고 제목을 정하는 두 가지 방식이 있다. 어떤 저자는 익살스럽거나 신기하고 재치 있는 제목을, 또는 (최악의 증례 시나리오에서) 말장난일 수도 있는 제목을 고르기도 한다. 기발하거나 익살스러운 제목은 재미있을 수는 있지만 몇 가지 단점이 있다. 이런 제목은 증례보고를 애매하게 만들며, 대부분의 독자는 굳이 논문을 읽으면서 수수께끼를 풀려들지는 않을 것이다. 그리고 증례 요점을 한눈에 보여주는 간단한 제목에 비해 잘 검색되지 않는다. 실제로 흥미로운 제목을 가진 과학 학술지 논문이 단도직입적인 제목을 가진 비교대상 논문에 비해 덜 인용된다는 근거도 있다.[1] 나의 경우, 이유를 알 수 없는 저칼륨혈증 환자가 있었는데 결국 이 환자가 하루 4리터의 콜라를 마시고 있었다는 사실을 알아냈다. 증례보고를 작성할 때 '얼음 위의 저칼륨혈증hypokalemia on ice'이나 '거품의 수수께끼fizzy mystery'같은 익살스러운 제목이 떠올랐지만, 결국 상식이 승리하여 '과도한 콜라 섭취로 인한 만성 저칼륨혈증: 증례보고(Chronic hypokalemia due to excessive cola consumption: a case report)'로 제목을 정했다.[2]

제목을 정하는 가장 좋은 전략은 저자의 가장 큰 관심, 즉 사건의 핵심을 가능한 한 가장 단순한 용어로 설명하는 것이다. Milos Jenicek이 말한 것처럼 "제목은 항상 핵심을 정확히 언급"해야 한다.[3] 나의 증례보고 중 하나는 고혈압 치료를 위해 아테놀롤 투약을 시작한 후 비브라토를 조절하고 변화를 줄 수 없게 된 젊은 바이올리니스트에 대한 것이었다. 이 증례의 제목은 너무 평범하게도 "베타 차단제, 무대 공포증, 비브라토: 증례보고(Beta–blockers, stage fright, and vibrato: a case report)"였다.[4] 더 나은 제목은 "장기간의 아테놀롤 치료로 발생한 바이올리니스트의 비브라토 장애: 증례보고(Impairment of violinist's vibrato casued by chronic atenolol treatment: a case report)"였을 것이다. 이후 나는 최대한 구체적인 제목을 만들기 위해 노력을 하였다. 세 가지 면역질환을 동시에 앓고 있는 환자에 대한 나의 논문 제목은 "반응성 관절염, 그레이브스 병, 온난자가면역용혈성 빈혈의 동시 발생: 증례보고(Concurrent reactive arthritis, Graves' disease, and warm autoimmue hemolytic anemia: a case report)"였다.[5] 원발성 유육종증sarcoidosis이 호전되고 16년이 지났는데 림프종lymphoma 같은 소견을 보인 척추 유육종증이 나타났던 다른 환자의 증례 논문 제목은 "용해성 골전이로 오인된 척추 유육종증: 흉추 유육종증의 분명한 소실로부터 16년이 경과한 후의 발병(Vertebral sarcoidosis mimicking lytic osseous metastases: development 16 years after apparent resolution of thoracic sarcoidosis)"이었다.[6] 제목에는 비활동 상태의 유육종증quiescent sarcoidosis이 수년 후 척추뼈 병변의 형태로 재발할 수 있다는 교훈이 분명하게 드러나 있다.

일부 저자들은 제목에 '증례보고case report, 증례 연구case study, 증례군 연구case series'라는 단어를 포함할 것을 권장한다.[7,8] 이것은 색인화를 목적으로 하는 논문 분류와 잠재적 독자에게 논문 내용과 근거 유형을 알리는 데 모두 유용하다. 상세한 문헌고찰이 포함된 경우 "증례보고 및 문헌고찰a case report and review of the literature"이라는 제목을 자유롭게 사용할 수 있다. 어느 정도 변형시키는 것도 가능하다. 우리는 난치성

구토 환자의 질병 기전에 대해 고찰했던 한 증례보고에서 "카나비노이드 과다구토 증후군: 증례보고 및 병태생리학적 고찰(Canabinoid hyperemesis syndrome: a case report and review of pathophysiology.)"이라고 제목을 정하였다.[9]

제목은 풀기 어려운 수수께끼가 아니라 증례 요점을 명확하고 구체적으로 설명할 수 있어야 한다. 임상 질문 또는 임상문제해결 형식으로 작성된 증례보고는 창의적인 제목을 준비해야 하는데, 이에 대해서는 제8장과 10장에서 논의할 것이다.

초록(The Abstract)

초록은 증례보고의 간략한 요약, 그 이상도 이하도 아니다. 구조화된 초록을 쓸 수도 있고 그렇지 않을 수도 있으며 일반적으로 150-300단어 정도로 작성된다. 초록은 전자 데이터베이스에서 자유롭게 접근할 수 있기 때문에 연구자가 전체 증례보고를 계속 읽을지, 인용할지, 혹은 환자 진료에 활용할지 여부가 종종 초록의 질에 좌우된다. 따라서 초록은 증례의 모든 중요 요점을 다루며 짧고 잘 정리되어 읽기 쉽게 요약되어야 한다. 일반적으로 증례보고 초록은 구조화되어 있든 그렇지 않든 서론, 증례 제시case presentation, 결론의 세 부분으로 구성된다. 서론은 증례보고 배경, 문헌상 증례의 맥락(즉, "이것은 세 번째 증례이다", "유일한 증례" 등) 및 출판 이유를 보여준다. 증례 제시는 환자 나이, 성별, 주요 병력 및 진찰 소견, 실험실 검사, 영상, 치료 반응을 포함한 임상 경과의 가장 흥미로운 부분 등 증례를 간결하게 요약한 것이다. 결론은 증례의 임상 의미 및 중요한 교훈을 제공한다. 다음 두 초록을 보자. 첫 번째는 구조화되지 않은 것이고, 두 번째는 구조화된 것이다.

척추 유육종증vertebral sarcoidosis은 종종 폐, 림프절 및 피부 병변을 동반하며 계속되는 요통이 나타날 수 있는 흔치 않은 질환이다. 이 질환은 뼈 스캔 및 자기공명영상에서 전이성 암과 구별할 수 없는 용해성 또는 모세포성 골 병변blastic osseus lesions을 형성하기도 한다. 이 소견은 일반적으로 초기에 발생하지만, 흉추 유육종증이 없어지고 수년 후에도 매우 드물게 나타날 수 있다. 우리는 1기 폐 유육종증의 자연 소실 16년 후 지속적인 요통이 있었던 47세 남성의 증례를 보고하였다. 척추 자기공명영상에서는 흉추 및 요추의 용해성 병변이 관찰되었다. 흉부 컴퓨터 단층 촬영에서 흉막 기원성 폐 종양a pleural based lung mass, 다발성 폐결절 및 폐문과 종격동의 림프절병증lymphadenopathy이 의심되는 소견이 있었다. 척추 MRI 소견과 같이 플루오로데옥시글루코스 양전자 방사 단층 촬영positron emission tomography with fluorodeoxyglucose에서도 광범위하게 양성 병변이 확인되었다. 전이성 림프종이 의심되었으나, 종격동 림프절과 척추체에 대한 생검에서 항산균acid–fast bacilli 및 진균fungi 등 그람 음성균을 동반하는 비치즈육아종noncaseating granulomas이 관찰되었다. 프레드니손prednisone 치료 1개월 후 안지오텐신 전환효소 수치 및 적혈구 침강 속도가 정상화되었고 요통이 크게 개선되었다. 우리는 초기 유육종증의 소실과 척추 침범 유발 사이에 본 증례보다 더 긴 시간차를 가진 증례보고가 1례만 보고되어 있음을 확인하였다.[6]

서론: 메트포민은 폭넓게 처방되는 바이구아니드계 항당뇨병 약물로 3건의 선행 증례보고에서 용혈성 빈혈의 원인에 대한 관련성이 보고되었다. 우리는 당뇨에 대한 메트포민 치료 시작과 잠재적 관련이 있는 진행이 매우 빠르고 치명적인 경과를 보인 용혈 증례를 보고한다. 임상의는 드물지만 발생할 가능성이 있는 메트포민의 중증 부작용에 대해 인지할 필요가 있다.

증례제시: 제2형 당뇨병을 앓고 있는 56세 백인 남성이 혈당 조절 개선을 위하여 메트포민 투약을 시작하였다. 투약 후 바로 점차 심해지는 피로, 운동성 호흡 곤

란, 크렌베리 색 소변 및 황달이 나타났다. 실험실 검사 결과 4일 사이에 헤모글로빈 수치가 14.7 g/dL에서 6.6 g/dL로 감소하였고, 심각한 용혈, 젖산 탈수소효소와 빌리루빈 및 망상적혈구 수치의 현저한 상승, 낮은 합토글로빈 수치 등이 관찰되었다. 말초 혈액 도말검사에서는 조각적혈구는 보이지 않았으며, 직접 항글로불린 검사에서 항 IgG 양성, 항C3는 음성이었다. 코르티코스테로이드 치료 및 농축적혈구 수혈에도 불구하고 환자는 입원 12시간 후 호흡 곤란, 저혈압 및 헤모글로빈 수치가 3.3 g/dL로 급격히 감소하면서 치명적인 심폐정지 상태에 이르렀다.

결론: 이 증례의 혈청학적 소견은 약물 유도 자가항체 또는 온난 자가항체에 의한 자가면역 용혈성 빈혈을 시사한다. 본 증례는 메트포민 투여와 시간적 연관성이 있으며 다른 뚜렷한 유발 원인이 없었다는 점을 감안하면 메트포민 유도 자가항체에 의한 용혈 가능성이 높을 것으로 사료된다. 이 기전은 적혈구-약물 복합체 erythrocyte-drug complex에 대한 항체로 인해 발생한 선행 증례와 구별된다. 그러나 동일 약물에서도 여러 기전을 통해 용혈이 발생할 수 있다는 점이 밝혀져 있다. 임상의는 뚜렷이 원인을 밝힐 수 없는 용혈환자가 메트포민을 복용하고 있다면 이 약과 관련된 면역 용혈성 빈혈 가능성을 고려해야 한다.[10]

우리는 첫 번째 초록에서 척추 유육종증은 드문 질환이고 전이성 암과 구별이 어려우며 초기 병변의 뚜렷한 소실 수년 후에도 발생할 수 있음을 배운다. 두 번째 초록은 증례를 맥락에 따라 배치하고 있다(앞서 3개의 선행 증례가 있었는데 본 증례는 첫 사망 증례이다). 보고 논문은 주요 증상과 실험실 검사 결과를 제시하고 메트포민 유도 용혈 기전에 대한 가설을 요약하며, 원인 불명 용혈 환자에 대해서는 메트포민을 원인으로 고려해야 하다는 교훈으로 마무리한다. 두 초록 모두 배경, 임상적 맥락, 주요 소견 및 교훈을 다룬다.

완성된 원고를 요약하는 것이 훨씬 쉬운 일이므로 초록은 마지막에 작성해야 한다. 초록에는 증례보고 본문에 없는 새로운 정보가 포함되지 않아야 한다. 초록은 요약일 뿐이므로 논문을 소개하거나 인용을 포함해서는 안 된다.

서론(The Introduction)

이 부분에서는 증례보고의 배경과 맥락을 간략하게 요약해야 한다. 증례가 질병의 특이 소견 및 자연경과를 포함하는 경우 질병의 일반적인 진행을 기술해야 한다. 증례가 새로운 질병이나 증후군인 경우 이를 분명하게 명시해야 한다. 약물 부작용 증례라면 약물 특성과 일반 용례 및 부작용 관련 선행 보고를 언급해야 한다. 증례보고에서 새로운 수술 기법을 제시한 경우 표준적인 기법도 기술되어야 한다. 서론에는 증례의 임상적 맥락과 연관된 간략한 문헌고찰도 포함되어야 한다. 예컨대, 5명의 다른 저자가 유사한 임상 소견을 기술했다거나 유사한 부작용에 대한 선행 보고가 3건 있었다든지 다른 외과의가 새로운 접근 방식을 시도했다면 이를 인용하고 서론에서 간략하게 언급해야 한다(보통 선행 증례보고의 세부적 내용 및 현 증례와의 비교는 고찰을 위해 남겨둔다). 서론은 논문 보고 내용에 대하여 "이 증례는……(in this case)", "우리는……보고한다(we report).", "우리는……기술한다(we describe)"과 같은 문구를 활용하는 간단한 설명 – 일반적으로 한 문장 –으로 끝나야 한다.

서론에서 중요한 것은 간결성이다. 이후에 나올 세부사항에 얽매이지 않으면서 독자를 문맥에 적응하게 하는 것이 목표이다. 다음의 약물유해반응 증례 예시에서 맥락과 목적은 네 문장으로 제시된다.

로미플로스팀Romiplostim은 현재 특발성 혈소판 감소성 자반증ITP에 대한 2차 요법으로 사용되는 트롬보포이에틴TPO 유사체(반감기 중앙값 = 3.5일)이다. 임상시험에서 장기적인 혈소판 수치 증가 효능을 입증하였다. 몇몇 증례보고에서

로미플로스팀은 비장절제술 전 효과적인 가교 역할을 하였다. 우리는 비장절제술 수술시 로미플로스팀 단일 용량 투여 후 중증 반동성 혈소판감소증이 발생한 불응성 ITP 환자에 대하여 보고한다.[11]

다음은 세 문장으로 끝나는 더 간단한 서론이다.

장기간 과도한 콜라 섭취로 유발된 중증 만성 저칼륨혈증 증례보고 4건이 있다. 보고들에 기술된 합병증에는 저칼륨혈성 근병증, 저칼륨혈성 신병증, 신성 요붕증이 있다. 본 증례에서 환자는 매일 4리터 펩시 콜라 섭취로 인하여 심각한 만성 저칼륨혈증 및 저칼륨혈성 근병증이 유발되었을 가능성이 있다.[2]

효과적이고 간결한 서론의 다른 예시이다.

흔히 만성 리튬중독 환자는 초조, 혼란, 떨림, 운동 실조 및 과반사 증상을 보인다. 그러나 드물게 리튬중독이 일시적인 인지 및 언어장애로 발현할 수 있다. 우리는 일과성 피질경유 운동 실어증transient transcortical motor aphasia으로 내원한 리튬 중독 환자에서 리튬 중단 2일 후 증상이 해소된 증례를 보고한다. 이는 리튬 중독 환자의 초점성 피질경유 운동 실어증에 대한 첫 보고이다.[12]

신부전, 경정맥 조영제 투여, 쇼크, 패혈증, 저산소혈증 또는 간질환을 가지고 있는 환자에서 비구아나이드 항당뇨 약물인 메트포민은 젖산증을 일으키기도 한다. 메트포민은 정상 신장 기능을 가진 제2형 당뇨병 환자에게 경미한 젖산 산혈증lactic acidemia을 유발할 수 있으나, 다른 분명한 유발 원인 없이 젖산 산증lactic acidosis이 생기는 경우는 매우 드물다. 본 증례에서는 경미하고 제한적인 뇌졸중 증상과 정상적인 신장 기능을 가졌던 메트포민 투여 남성이 다른 위험 요인이 없는 상황에서 젖산 산증이 발생하였음을 보고한다.[13]

스피겔 탈장Spigelian hernias은 드문 질환으로 진단하기 어렵다. 다수의 증례보고에서 스피겔 탈장에서 발견된 다양한 복부 기관의 존재를 기술했으나, 복강경으로 복구한 감돈된 충수incarcerated appendix에 대한 보고는 없었다. 복강경을 이용하면 스피겔 탈장에서도 감돈된 조직을 쉽게 식별할 수 있고 대규모 절개 없이 복벽 최소 절제로 충수 절제술을 시행할 수 있다.[14]

증례 기술(The Case Description)

증례보고를 작성할 때 학생들이 범하는 가장 큰 실수는 증례를 기술하는 데 너무 많은 정보를 밀어 넣는 것이다. 이것은 병동에서 자신의 증례를 포괄적으로 발표하던 습관 때문이다. 좋은 증례 기술 비결은 초점을 모으는 데에 달려있다. 증례의 서술에는 보고 주제와 직접 관련된 기록, 신체검사, 실험실 및 영상 검사 결과, 임상 경과의 일부만이 포함된다. 예컨대, 용혈 환자의 경우 노란 공막, 밝은 색 대변light stools, 어두운 소변, 복통, 발열 및 간-비장 비대 유무를 기술해야 한다. 관련된 약물, 가족력, 사회력 및 여행 이력도 포함시킨다. 실험실 검사 결과로는 전혈구 수치, 망상적혈구 수치, 빌리루빈, 젖산탈수소효소, 합토글로빈, G6PD 수치, 말초 도말 검사 및 항글로불린 검사가 포함된다. 필요에 따라 문장과 표 및 그래프에 임상 및 실험실 검사 소견에 대한 분명한 연대표timeline가 있어야 한다. 환자의 만성 습진, 경증 COPD, 재발성 UTI 및 만성 요통 등과 같이 증례와 직접적으로 관련이 없는 기타 데이터(예컨대 환자가 최근 UTI에 설파 항생제 투약을 시작한 경우)는 포함시키지 않는다. 용혈의 경과, 진단검사 및 치료가 중심이 되어야 하며 관련성이 없는 합병증과 사건은 생략한다.

증례 기술에서 임상계측clinimetrics의 개념을 고려하는 것은 매우 중요하다.[3] 임상계측은 임상 데이터의 정확한 측정과 관련이 있으며 환자

인구통계, 신체 검사법과 같은 임상 바이오마커(대부분 오즈비odds ratios가 잘 구축되어 있음), 실험실 검사, 그리고 TNM 암병기분류법, 글래스고우 혼수척도, 듀크 심내막염 진단기준, 나란조 약물유해반응 확률척도 같은 재현성 있는 지표들을 포함한다. 임상계측 원칙을 주의 깊게 지키면 증례보고의 근거 가치가 향상되며 임상에서 의사 결정을 할 때 도움이 된다. 증례 제시에는 관련된 모든 임상 바이오마커와 적용 가능한 확률 척도 및 기타 지표 점수가 포함되어야 한다. 예를 들어 심내막염 증례보고에는 혈액 반응검사 결과, 새로운 역류성 잡음 유무, 심초음파 소견, 면역이나 혈관 현상 유무에 대한 정보가 필요하다. 이 데이터를 바탕으로 듀크 진단기준 점수가 제시되어야 한다. 만약 데이터가 없다면 증례보고는 유용하지도 않고 출판될 수도 없을 것이다. 따라서 저자는 증례 기술을 작성하기 전 관련된 모든 임상 바이오마커와 진단기준을 조사하여 확인하는 데 노력을 기울여야 한다.

표 7.1에는 증례 기술의 필수요소가 실려 있다. 증례를 설명할 때 가능하다면 표의 모든 요소들이 있어야 한다. 드물지만 증례보고가 치료적 중재 없이 증례 묘사만 있거나 임상 결과가 불확실할 수도 있다. 그러나 비록 증례가 흥미롭더라도 이들 필수요소가 하나 이상 결여된 증례보고는 출판이 거의 불가능하다.

표 7.1 증례 기술의 필수요소

1. 환자 인구통계자료: 연령, 성별 및 인종
2. 환자 병력, 신체 검사, 실험실 검사 및 영상 검사 소견
3. 중요한 임상적 사건 연대표(문장과 그래프 또는 표 형식 모두)
4. 가능한 바이오마커, 지표 및 척도를 포함한 진단 평가
5. 치료적 개입
6. 증례의 임상 결과

모든 필수 요소를 갖춘 아래 증례기술 사례를 검토해 보자. 첫 번째 문단은 환자의 인구통계, 연관된 병력, 21개월 동안의 입원 및 혈청 칼륨 수치에 대한 연대표(그림 7.1)를 제시한다. 연대표는 세 번의 입원 동안 저칼륨혈증이 호전되었다가 퇴원한 후에는 매번 재발했음을 보여준다. 환자가 저칼륨혈증을 유발할 가능성이 있는 어떤 약도 복용하지 않았고, 칼륨 보충제를 복용하고 있다는 것이 중요하기 때문에 처방된 모든 약을 제시했다.

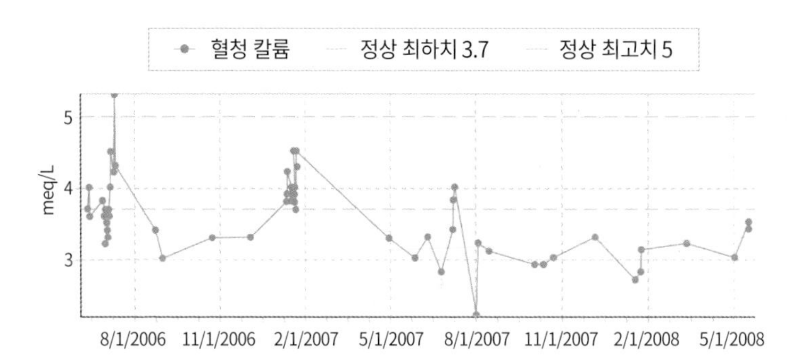

그림 7.1 2006년 7월부터 2008년 5월까지 혈청 칼륨 수치. 2006년 7월, 2007년 1월 및 2007년 7월 입원 칼륨 수치 정상화에 주목하자. 환자가 하루 콜라 소비량을 4리터에서 2리터로 줄인 2008년 5월 1일과 2008년 5월 16일 사이에 칼륨 수치가 3.0에서 3.5 mg/dL로 개선된 점에 대해서도 주목하자(Packer의 허가하에 전재[2]).

기계 환기 의존성 만성 폐쇄성 폐질환, 고혈압, 위식도 역류병, 특발성 위마비 및 만성 요통이 있는 52세 백인 남성으로 2년 이상 2.7–3.3 meq/L 범위에서 지속적인 저칼륨혈증이 관찰되었다. 또한 만성적 전신 쇠약감 및 피로를 호소하였다. 구역이나 구토는 없었으나, 가끔 무른 변이 나온다고 하였다. 고혈압에 대한 항이뇨제 치료와 기립성 저혈압에 대하여 단기간 처방된 플루드로콜티손fludrocortisone을 중단했음에도 불구하고 저칼륨혈증이 지속되었다. 하루에 최대 120 meq에 이르는 적극적인 경구 칼륨보충제 투약에도 호전이 없었다. 혈청 칼륨 수치는 입원하여 칼륨 보충제를 투약하였을 때 세 차례 정상화되었으나(6월 7일과 7월 1일에 COPD 악화, 7월 7일에 가성 간질) 퇴원 후 저칼륨혈증이 즉시 재발하였다(그림 7.1). 그의 약물은 paroxetine, trazodone, pregabalin, sustained-release morphine, loratadine, isosorbide mononitrate, lisinopril, metoprolol, simvastatin, omeprazole, metoclopramide, potassium chloride, calcium/vitamin D tablets, alendronate, and mometasone, tiotropium 및 albuterol 흡입제였다. 그는 하루에 담배를 반 갑 피웠고 술은 마시지 않았다.

두 번째 및 세 번째 단락에서 진찰 소견 및 실험실 검사 결과를 제시한다. 진찰 소견상 환자에게 속발성 저칼륨혈증 원인이 될 수 있는 쿠싱증후군 징후가 없으며, 저칼륨성 근병증을 시사할 수 있는 경도의 전신 근육위약이 있음을 보여준다. 실험실 검사 결과는 혈청 알도스테론, 혈장 레닌 활성도, 소변 전해질을 포함하며 이는 원발성 고알도스테론혈증이나 다른 형태의 신장 칼륨 소모를 배제할 수 있다(transtubular potassium gradient도 유용하였을 것이나 증례에 포함되지 않음).

환자는 비강 캐뉼라를 착용한 만성 병색을 보이는 남성이었다. 키는 175 cm, 몸무게는 92.9 kg이었다. 쿠싱양 얼굴, 들소형 비대 어깨bufflo hump, 복부 선조abdominal striae는 없었다. 활력 징후는 체온 섭씨 37도, 맥박 95회/분, 호흡수 14회/분, 혈압 128/73 mmHg이었다. 갑상선 비대나 림프절 병증은 없었다. 폐 양측 하부에서 호흡음 감소 및 경미한 호기 천명음 소견이 있었다. 복부는 부드럽고 눌러도 통증이 없었으며 종괴나 장기비대를 동반하지 않았다. 사지에서 부종, 곤봉지 및 청색증은 관찰되지 않았고 신경학적 검사에서 경미한 전신 근육위약(4+/5) 및 정상 심부건반사가 확인되었다.

실험실 검사 결과 혈청 나트륨 137 mg/dL, 칼륨 3.0 mg/dL, 염화물 95 mmol/L, CO_2 30.0 mmol/L, 혈액요소질소 5 mg/dL, 크레아티닌 0.8 mg/dL, 칼슘 9.3 mg/dL, 인 4.1 mg/dL, 알부민 3.6 g/dL, 페리틴 126 ng/mL, 헤모글로빈 12.7 g/dL, 백혈구수 10,600 /cmm, 혈소판수 160,000 /cmm. 혈청 알도스테론은 4.8 ng/dL (정상 4–31 ng/dL)이었고 혈장 레닌 활성은 0.33 ng/mL/hr (기립위 시 정상치 1.31–3.96 ng/mL/hr, 앙와위 시 정상치 0.15–2.33 ng/mL/hr)였다. 일회뇨 검사상 요중 칼륨은 8.6 m Eq/L, 요중 나트륨은 < 10mEq/L, 요중 염소는 6 mmol/L였다.[2]

마지막으로 네 번째 단락은 진단 평가를 제시하고 그 시점에 얻어진 주요 식이 정보를 보여준다. 과도한 콜라 섭취와 저칼륨혈증 사이 연관성이 성립되었다. 임상적 결과는 환자가 콜라 섭취량을 절반으로 줄였을 때 칼륨 수치가 거의 정상화되었다는 것이다.

이 환자의 만성 저칼륨혈증에 대한 뚜렷한 원인이 없는 상태에서 환자에게 식단에 대해 자세히 설명해 달라고 요청했다. 그는 지난 몇 년 동안 하루에 4리터의 펩시 콜라를 마셨음을 인정했다. 그는 습관적으로 하루 종일 천천히, 그렇지만 거의 끊임없이 콜라를 들이켰다. 입원했을 때는 콜라를 마시지 않았고 칼륨 수치는 일시적으로 정상화되었다. 2008년 5월 초에 콜라 섭취량을 하루 2리터로 줄였으며, 그 결과 혈청 칼륨이 3.0에서 3.5 mg/dL로 증가하였다(그림 7.1).[2]

증례 기술에서는 저칼륨혈증의 감별진단에 대해서는 논의하지 않고, 단순히 이를 평가하기 위해 시행된 검사 결과만을 제시했다는 점에 주의하라. 그리고 증례를 기술할 때에는 콜라 유발 저칼륨혈증의 가능한 기전에 대한 정보를 포함시키지 않는다. 질병의 감별진단 및 기전은 고찰 부분을 위해 남겨둔다.

연대표(The Timeline)

연대표는 시간 경과에 따른 임상 매개변수clinical parameters의 변화를 포함하는 증례, 특히 원인과 결과에 대한 추론이 이루어지는 경우에 중요하다. 약물 부작용이나 기타 복잡한 증례의 병력에 대한 이야기를 할 때 연대표를 이용하면 긴 문장보다 훨씬 명료하게 증례를 설명할 수 있다. 그림 7.1 연대표는 만성적으로 저칼륨혈증을 보이던 환자의 칼륨 수치가 입원 시에만 정상화되는 것을 분명하게 보여준다. 그림 7.2는 생체적합성 혈액투석막 치료를 받고 있는 91세 남자의 혈소판 감소증 증례보고에서 발췌하였는데[15], 매일 혈소판 수치와 함께 3주 동안 사용된 다양한 투석기 유형이 화살표로 표시되어 있다. 이 그래프는 폴리설폰막 투석기polysulfone membrane dialyzer를 사용할 때 혈소판 수치가 반복적으로 감소했고, 셀룰로오스막 투석기cellulose membrane dialyzer를 이용할 때 호전되었다는 결정적인 근거를 제시한다. 특히 이런 종류 연대표는 약물유해반응 증례에서 원인과 결과를 입증하는 데 매우 유용하다.

간단한 임상 연대표는 질병 경과의 자연사를 보여주기 위해 자주 사용한다. 그림 7.3은 인간 광견병 증례에서 사건, 증상 및 진단 연대표이다. 이것은 미국에서 감염된 광견병에 대한 최초 보고였지만 증상 발생시점, 의학적 경과, 해외에서의 진단이 포함되어 있다.[16] 연대표는 박쥐 교상이 의심되던 때부터 뇌 조직 부검에 이르기까지 모든 핵심 사건을 포함하며 환자의 여행기록과 5주간의 급속한 증상 진행에 대한 중요한 세부 정보를 제공한다. 대량의 데이터가 간단한 연대표에 깔끔하고 간결하게 제시되어 있다.

그래프는 연대표보다 시각적으로 더 효과적이지만 여러 데이터 요소가 있는 경우에는 그래프가 지나치게 어수선해질 수 있어서 표도 유용할 수 있다. 표 7.2는 척추 동맥 박리가 있고 정상 신장 기능을 가지고 있던 환

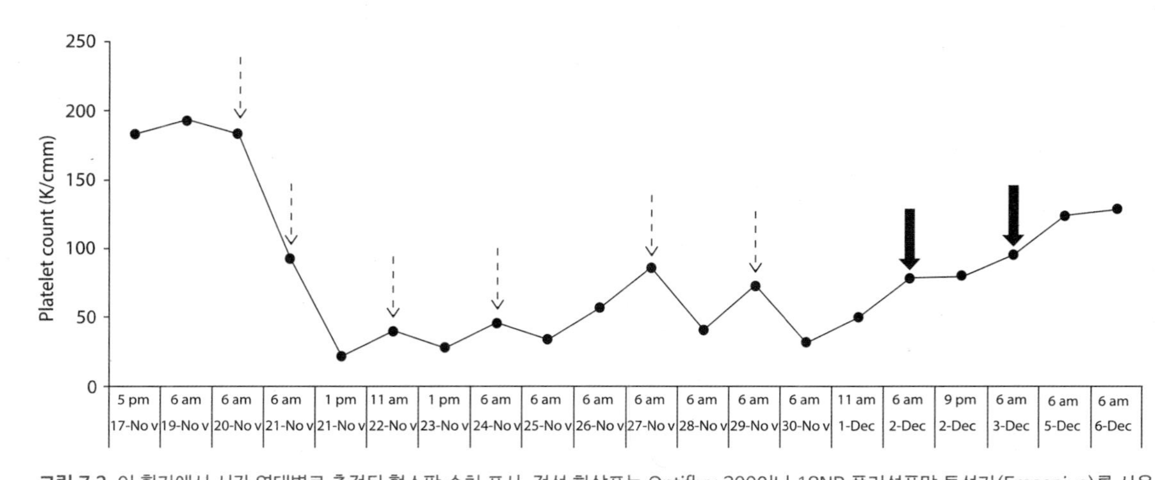

그림 7.2 이 환자에서 시간 연대별로 측정된 혈소판 수치 표시. 점선 화살표는 Optiflux 2000이나 18NR 폴리설폰막 투석기(Fresenius)를 사용한 혈액 투석 시행을 나타냄. 실선 화살표는 알킬 에테르 고분자접합 셀룰로스막이 있는 AM100투석기를 사용한 혈액 투석 시행을 나타냄(Muir와 Packer의 허가 하에 전재[15]).

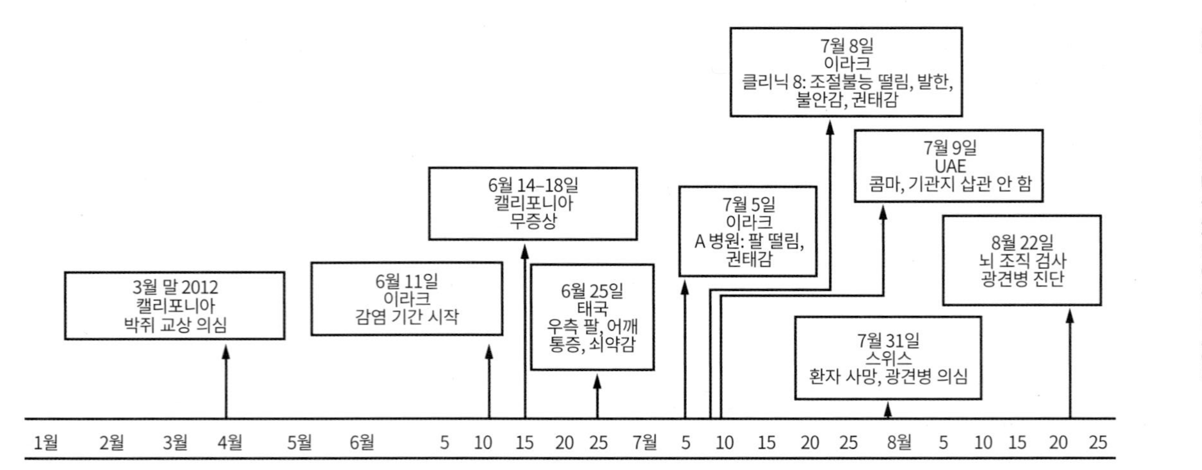

그림 7.3 한 미국인 인간 광견병 증례: 2012년부터 3월부터 8월 사이 발생한 사건, 보고된 증상 및 진단의 연대표(MMWR Morb Mortal Wkly Rep의 허가 하에 전재[16])

자의 메트포민 관련 젖산산증 증례의 실험실 검사 수치를 보여준다.[13] 이 표를 통해 환자의 젖산산증이 정점에 도달한 이후 호전되는 4일 동안 중요한 실험실 검사 수치가 어떻게 변화하는지 쉽게 알 수 있다.

표 7.2 실험실 검사 수치

항목	입원 20일 전	입원일	입원 2일째	입원 3일째	입원 4일째
Lactate (mEq/L)	-	5.2	4.9	2.6	0.9
CO_2 (mmol/L)	27	17	22	26	22
Anion gap	11	21	15	10	14
BUN (mg/dL)	14	31	18	13	11
Creatinine (mg/dL)	1.0	1.4	1.2	1.0	1.1
CPK (IU/L)	-	51	-	-	-

Wolters Kluwer Health의 허가 하에 '척추 동맥 박리 환자의 메트포민 관련 젖산 산증'에서 전재[13]

연대표에 대한 언급 및 설명은 증례를 기술할 때 간략하게 들어가야 한다. 사건의 관련성 및 인과관계 가능성에 대한 견해 등 연대표에 대한 모든 비판적 분석은 고찰 부분에서 다뤄져야 한다.

고찰(The Discussion)

고찰의 목적은 간단하다. 증례에 맥락을 부여하고 무슨 일이 일어났는지 설명하며, 관련성을 분석하고 쓸모있는 교훈을 제시하는 것이다. 표 7.3은 고찰의 필수요소 네 가지와 이 핵심 요건을 충족하는 데 필요한 특정 절차를 보여준다. 여기에는 맥락에서 설명, 추측, 그리고 교훈으로 이어지는 논리적 흐름이 있다. 맥락 없는 설명은 무의미하며, 증례에 대한 명확하고 설득력을 갖춘 설명이 없다면 그 교훈을 신뢰할 수 없다. 따라서 표 7.3에 제시된 순서대로 고찰을 작성하는 것이 가장 좋다.

표 7.3 고찰의 필수요소

증례의 맥락
관련 해부학, 생리학, 약리학 등의 고찰
집중적인 문헌고찰
다른 증례와 비교: 이 증례는 무엇이 새롭거나 특이하거나 고유한가?
사건의 설명
사건의 인과관계 또는 관련성 평가(필요한 경우 연대표 참조)
감별진단과 대안설명에 대한 평가
근거를 갖춘 설명 또는 가설 제안
증례보고의 근거 가치에 대한 비평(강점 및 약점)
증례관리에 대한 비평(선택사항)
추정
증례의 의의 확장, 향후 가능한 연구
교훈
고찰을 마무리하는 간결하고 경구체이며 기억에 남는 교훈

증례의 맥락

맥락의 설정은 일반적으로 임상 환경에 대한 간단한 검토로 시작된다. 예를 들어 사이토크롬 P450 시스템과 관련된 약물유해반응에서는 효소 억제를 유발하는 요인들을 논의하여야 한다. 스피겔 탈장의 경우 이런 희귀한 탈장의 원인, 해부학, 증상 및 외과적 처치에 대한 간단한 요약이 제시되어야 한다. 다음 단계는 문헌고찰로 가능한 한 구체적이고 집중적이어야 한다(제5장 참조). PubMed의 MeSH 데이터베이스와 같은 고급 검색 도구를 활용하는 것이 좋다.

일군의 증례들을 비교하는 가장 좋은 방법은 핵심적인 인구통계 및 임상 특징이 드러나는 표(표 7.4)를 만드는 것이다. 현재 증례("이 증례this case"나 "이 연구this study"로 표기)를 항상 표의 최종 항목에 놓는다.

아래의 고찰에서는 이전 증례와 현재 증례 간의 중요한 차이점을 강조하고 직접 항글로불린 검사(direct coombs test, DAT) 결과 차이점을 설명할 수 있는 기전을 제시하고 있다.

여기서 논의된 메트포민 유발 용혈성 빈혈의 가능한 기전은 Kashyap 및 Kashyap의 보고에서 제안된 것과는 다르다. 해당 보고에서 환자의 DAT는 항 C3에 대해서는 양성이고, 항 IgG에 대해서는 음성이었는데 이는 적혈구-약물 복합체에 대한 항체 형성을 시사한다. 이와 달리 우리 환자의 DAT는 자가항체 형성에 부합한다. 동일 약물이 DIIHA의 모든 기전은 아니더라도 많은 용혈성 빈혈의 원인이 될 수 있음이 입증되었다는 점에서 검사 결과가 다르다는 것이 반드시 모순은 아니다. 실제로 특정 환자에서는 하나의 기전이 더 뚜렷하고 식별도 가능할 수 있다. 3세대 cephalosporin으로 유발된 DIIHA의 관찰소견은 동일 약물의 다중 기전이라는 개념을 뒷받침한다.

표 7.4 메트포민 유도 용혈성 빈혈의 보고된 증례

Case report	Pt. age (years)	Gender	Time from strting metformin to onset of symptoms	Direct Coombs	G6PD level	Recurrence of hemolysis with metformin rechallenge	Outcome
Lin et al.	46	Male	10 days	"Equivocal"	Normal	Yes	Recovery
Kashyap and Kashyap	51	Female	9 days	Positive (–IgG, +C3)	Normal	Yes	Recovery
Meir et al.	68	Female	14 days	Negative	Decreased	N/A	Recovery
Packer et al. (this study)	56	Male	1–2 days	Positive (+IgG, –C3)	N/A	N/A	Death

Packer 등의 허가 하에 전재[10]

이 유형의 비교표는 거의 무제한의 증례와 변수를 담을 수 있다(표 7.5).

여기서 다시 고찰은 6개의 이전 증례와 현재 증례 간의 임상 소견 및 세균학적 차이점을 설명하는 데 중점을 둔다.

급성 폐쇄성 화농성 췌관염AOSPD의 증상과 중증도는 상당히 다를 수 있다. 이전 증례 환자들은 전신 염증 반응 증후군SIRS의 기준에 부합하는 낮은 증상부터 패혈성 쇼크에 이르기까지 다양한 중증도를 보였고 복통이 있었다. 반대로 우리 환자는 증상이 없었으며 진단 시점과 입원 기간 동안 객관적인 감염 징후가 없었다. 본 증례는 감염 측면에서 다중 미생물 환경 때문에 독특하다. 이전 증례는 단일 미생물이었다. 우리 환자에서 분리된 세 가지 병원체 중 두 가지인 *Streptococcus pneumoniae*와 *Haemophilus influenza*는 일반적으로 호흡기 질병을 일으킨다. 호흡기 병원체가 췌장을 감염시킬 수 있는 방법을 설명하는 몇 가지 이론이 제시되었다. 가능한 가설로는 비인두 군집화nasopharyngeal colonization로 인한 혈행성 혹은 림프성의 확산, 장내 세균총에 대한 박테리아의 일시적 혼입에 따른 장내 확산, ERCP와 같은 내시경 중재의 시술 시 담도계와 췌관으로 비인두 균주의 직접 유입 등이 제안되었다.[17]

맥락에 따른 증례 배치가 –이 증례가 다른 증례와 어떻게 다른지 보여주는– 자연스럽게 차이점의 이유에 대한 가설로 이어진다는 점에 다시 주목하자. 새로운 증례에서 고유한 특징을 식별하고 이것을 설명하기 위해 가설을 전개하는 과정은 매우 중요하다. 맥락을 가지고 설명하는 것은 증례보고의 심장이자 영혼이다.

표 7.5 보고된 급성 폐쇄성 화농성 췌관염

증례보고	Patient age/gender	Prior endoscopic intervention	Relevant comorbid conditions	Presenting symptoms	WBC
Weinman[1]	74/male	Biliary sphincterotomy	Chronic pancreatitis, DM	Abdominal pain, fever, N/V	17.9
Tajima et al.[2]	73/male	No	Chronic pancreatitis, pancreatic CA	Abdominal pain, fever	14.2
Deeb et al.[3]	46/male	ERCP, pancreatography	Chronic pancreatitis	Abdominal pain, fever	N/A
Fujimori et al.[4]	53/male	No	Chronic pancreatitis, AML	Abdominal pain, fever	3.19
Fujinaga et al.[5]	70/male	No	Intraductal mucinous neoplasm	Abdominal pain, fever	N/A
Aoki et al.[6]	50/male	N/A	Chronic pancreatitis	Abdominal pain, fever	N/A
Wali et al. (this case)	63/male	Biliary sphincterotomy	Chronic pancreatitis, DM	Asymptomatic	6.04

표 7.5(계속) 보고된 급성 폐쇄성 화농성 췌관염

증례보고	CT scan results	ERCP results	Culture results	Clinical course
Weinman[1]	Dilated pancreatic duct with 5 mm stone	Pancreatic duct stone removed, stented	E. coli	Resolved, doing well at 18 months
Tajima et al.[2]	Dilated pancreatic duct, tumor at head of pancreas	Pancreatic stricture, stented	N/A	Resolved
Deeb et al.[3]	Dilated pancreatic duct with large stone	Pancreatic duct stone, stented	Klebsiella ornithinolytica	Resolved
Fujimori et al.[4]	Dilated pancreatic duct with stones	Pancreatic duct cannulated and stented	Stenotrop homonas maltophilia	Relapsed 1 month later and required repeat ERCP and drainage
Fujinaga et al.[5]	Mild pancreatic edema, 10 mm pancreatic stone	Pancreatic duct cannulated	Klebsiella oxytoca	Resolved
Aoki et al.[6]	N/A	Purulent pancreatic fluid, main pancreatic duct stented	N/A	Resolved
Wali et al. (this case)	Dilated pancreatic duct, pancreatic calcifications	Pancreatic stricture, stented	E. coli, S. pneumoniae, and H. pneumonia	Resolved

사건의 설명: 가설 전개

Milos Jenicek은 '증례'는 '통제되지 않는 시험'이라고 썼다. 증례는 어떤 사실을 증명하지 않지만 가설을 만들 수 있다.[3] 가설은 제한적인 근거를 기반으로 만들어진 가정 또는 제안된 설명이다. 가설은 추가 연구를 위한 출발점일 뿐이며 결코 최종적인 것이 아니다. 증례보고의 목표는 '증거'가 아니라 '개연성'을 찾는 것이다. 가설 전개는 의심의 여지없이 증례보고 작성에서 가장 어려운 부분이다. 증례와 관련된 모든 해부학, 생리학 및 약리학에 대한 깊은 지식, 번뜩이는 통찰력, 가설을 검증하고 수정을 거듭하여 임상 사건에 맞추고 설명할 수 있는 창의성과 끈기가 필요하다.

프로프라놀롤이 중증 유아 혈관종에 매우 효과적인 치료법이라는 2008년의 우연한 발견을 검토해보자. 심한 비강 혈관종이 있는 소아가 코르티코스테로이드 치료 중 폐쇄성 비대성 심근병증이 유발되어 프로프라놀롤 투여를 시작했다. 다음날 혈관종이 호전되었으며 몇 주 지나지 않아 거의 완전히 납작하게 줄어들었다. 중증 혈관종이 있는 다른 소아 10명에서 프로프라놀롤 사용 후 유사한 극적인 반응이 관찰되었다. 저자는 이 예상치 못한 효과에 대하여 가능한 세 가지 설명을 제시하였다.

유아 모세 혈관종에 사용한 비선택적 베타 차단제인 프로프라놀롤의 치료 효과에 대한 가능한 설명으로는 혈관종의 뚜렷한 연화와 관련하여 색조 변화로 즉시 가시화되는 혈관수축, RAF-유사분열 활성화 단백질 인산화효소 경로 하향조절을 통한 VEGF 및 bFGF 유전자 발현 감소(혈관종의 점진적 개선을 설명), 모세혈관 내피 세포의 세포자멸사 촉진이 있다.[18]

이 설명은 혈관 수축을 통한 빠른 증상 호전과 혈관 신생 억제 및 세포자멸사 유도에 따른 점진적인 개선을 모두 설명하는 개연성 있는 세 가지 기전을 제시하고 있기 때문에 특별히 강력한 가설이 될 수 있다. 가설의 강한 설명력은 증례군 연구의 근거 가치를 크게 높이며, 프로프라놀롤의 혈관종 치료에 대한 이론 근거가 될 수 있다.

가설의 또 다른 중요한 기능은 "(가설을) 다른 사람에게 알린다는 것"이다. 증례보고가 출판되면 가설은 면밀히 검토된 후 해당 분야의 전문가에 의해 확인, 반박, 또는 확장될 기회가 생긴다. 잠정적이거나 불완전하거나 매우 추정적인 가설조차도 여전히 유용한 이유가 이 때문이다. 다른 사람들이 가설을 평가하고 대안이나 추가 설명을 제안하면서 저자의 이론은 더 엄밀해질 것이다. 콜라 유도성 저칼륨혈증에 대한 증례보고에서 나는 저칼륨혈증 원인으로 고과당 옥수수시럽의 위장관 흡수불량으로 인한 삼투성 설사를 제안하였다.[2] 그리스의 한 연구팀은 그들의 고찰 논문에 내 증례보고를 포함시켰고 삼투성 이뇨, 세포내 칼륨 재분배를 동반한 고인슐린혈증, 카페인 유발 포스포디에스테라제 억제 및 신장에서 칼륨 소모 등 몇 가지 추가 기전을 제시하였다.[19] 마찬가지로 혈관종에 대한 프로프라놀롤 치료 증례도 프로프라놀롤 분자 작용 기전에 대한 다른 연구자들의 통찰을 통하여 초기 가설이 더욱 강력해졌다.[20] 그러므로 증례보고 출판은 증례가 근거로 활용될 수 있을 뿐 아니라, 증례에서 제시한 가설이 시간이 지남에 따라 성장하고 진화하면서 그 자체로 유기적인 생명을 얻는다는 점이 중요하다.

가설 전개에 대한 구체적인 절차는 표 7.6에 실려 있다. 먼저 증례의 맥락을 설정하고 설명을 필요로 하는 드물거나 특별한 점을 명시한다. 둘째, 증례와 관련된 모든 증례보고, 증례군 연구 및 문헌고찰 논문을 검토한 후 다른 사람의 기존 가설을 비판적으로 평가한다. 기존 가설이 타당해 보인다면 그것을 활용하되 그 가설을 확장하거나 당신이 관찰한 것에 대한 또 다른 가능한 설명을 추가할 수 있는지 확인한다. (다른 사람이 제안한 가설에 대해서는 반드시 인용을 통하여 그 저자들의 공로를 인정해야 함을 기억해야 한다. 그렇지 않으면 표절이 될 위험이 있다.) 기존 가설이 충분하

표 7.6 가설 전개 절차

증례 맥락을 구축한다. – 무엇을 설명해야 하는가?
관련된 모든 증례보고, 증례군 연구, 문헌고찰 논문을 검토한다.
기존 가설이 있는 경우 이들을 찾아본다.
관련된 기초과학 문헌을 검색한다.
기존 가설을 변형 또는 보완하거나 새로운 가설을 제안한다.
고찰에 가설 및 이를 지지하는 모든 근거를 제시한다.

지 않거나 없는 경우 새로운 가설을 개발해야 한다. 세 번째, 연구 결과를 설명하는데 도움이 되는 잠재적인 기전, 경로, 해부학적 변형 등을 찾기 위해 기초과학 문헌을 참고해야 한다. 이 단계에서 선택된 가설은 종종 수정되거나 심지어 기각되기도 하고, 바탕이 되는 병태생리, 약리, 해부학적 이론에 더 잘 들어맞아 새로운 설명 전개로 이어지기도 할 것이다. 마지막으로 증례보고 고찰 부분에 가설과 이를 지지하는 모든 근거를 적시하여 사건에 대한 확정적인 설명보다는 가설 제시가 확실하게 이루어지도록 한다.

가설 전개의 사례로써 리튬 중독 상황에서 일과성 피질경유 운동실어증이 발생한 65세 남성 사례를 상기해 보자.[12] 이 증례의 핵심 소견은 환자가 말하는 것을 멈췄고 글을 쓸 수 없게 되었지만, 이해와 반복 능력은 보존되었다는 것이다. 리튬 수치가 떨어짐에 따라 신경학적 증상은 해소되었다. 우리의 첫 작업은 이 증례에 맥락을 부여하는 것이었다.

리튬 중독 상황에서 구조적 운동장애constructional dyspraxia, 베르니케 실어증Wernicke's aphasia, 청각성 단어 실인증pure word deafness, 명칭실어증dysnomia 등을 포함하는 일과성 초점성 언어결손 및 행위상실증apraxia의 소수 증례가 문헌상 보고된 바 있다. 우리 환자는 원래 착란 및 단어찾기 장애word-finding difficulties가 있었으나, 정신 상태가 개선된 이후에도 초점 실어증focal aphasia이 지속되었다. 이해력, 반복, 읽기 및 명령 수행은 보존된 상태에서 단어 찾기, 대화 개시 및 필기에 문제가 있었다. 이 소견은 피질경유 운동 실어증TCMA과 가장 일치한다. 문헌을 검색해본 결과 리튬 중독과 관련한 피질경유 운동 실어증의 선행 증례는 없었다.[12]

다음으로 환자의 리튬 중독과 일과성 피질경유 운동 실어증 사이의 명백한 인과관계를 평가할 필요가 있었다. 이 환자의 증상을 달리 설명할 수 있는가? 일과성 허혈발작TIA이라면 이 증상들을 설명할 가능성이 있어 보였다. 발작, 편두통, 감염 또는 대사 장애와 같은 유사 일과성 허혈발작TIA mimic도 고려되었다. 일과성 허혈발작 문헌을 검토한 결과, 마비 없이 일시적으로 대화 개시 및 언어 장애가 있는 비 심방세동 환자는 일과성 허혈발작이라기보다 유사 일과성 허혈발작일 가능성이 더 높다는 것을 확인할 수 있었다. 발작, 편두통, 감염이나 기타 대사 장애가 없는 상태에서 리튬과의 강한 시간적 관련성을 고려하면 이런 증상을 유발할 수 있는 것은 리튬 중독이 가장 가능성이 높아 보였다.

리튬 중독에 의한 일과성 피질경유 운동 실어증의 임상적 가능성을 확인한 후 이를 설명하기 위한 가설이 필요했다. 이것은 매우 어려운 일임이 드러났다. 리튬 중독 환자에서 언어 장애에 대한 몇 안 되는 증례보고는 설득력 있는 설명을 제시하지 못했다. 우리는 일과성 피질경유 운동 실어증과 관련된 것으로 알려진 해부학적 영역(브로카 영역 및 보조 운동 영역)과의 상관관계를 확인하기 위하여 자기 공명 분광 연구magnetic resonance spectroscopic study를 비롯하여 뇌에 대한 리튬 축적과 약물동태pharmacokinetics와 관련한 동물, 인간 연구를 조사했다. 우리는 이 영역들이 전대뇌동맥과 중간대뇌동맥의 혈액 공급 사이 경계 영역watershed zones이라는 사실을 발견하였다.

경계영역은 특히 허혈성 손상에 취약하며 약물 청소율drug clearance도 감소할 수 있다. 환자의 낮은 기저 심박출량과 독성 리튬 수치를 보이는 상황에서 탈수를 고려할 때 우리는 이 경계 영역에서 관류가 상대적으로 저하되어 리튬 청소율을 줄이고, 일과성 초점성 증상을 유발할 수 있었을 것으로 추정하였다. 환자가 수액 공급을 받고 리튬 복용을 중단하였을 때 국소 관류가 개선되었고 초점성 증상이 해소되었다.[12]

이 가설은 리튬 유도 일과성 피질 경유 운동 실어증에 대한 옳은 설명일 수도 있고 그렇지 않을 수도 있다. 그러나 사건의 맥락을 구축하고, 철저한 문헌 검토 및 기초 과학에 근거한 합리적 가설을 수립하는 과정은 증례보고에 타당성(및 출판 가능성)을 부여한다.

우리는 전이성 위암과 B형 젖산산증을 가진 81세 남성의 증례에서[21] 다른 도전적인 가설을 세웠다. B형 젖산산증은 일반적으로 혈액암에서 발생한다. 고형암에서는 드물며, 위암 환자에서는 겨우 두 번째로 보고되는 증례였다. 우리는 문헌 검토를 통하여 티아민 결핍, Warburg 효과(종양 세포가 산소가 충분히 존재하는 경우에도 해당과정을 선호하는 경향), 신체 탄산–중탄산염 완충 시스템을 압도할 만큼 대량의 젖산 생성을 초래하는 급속한 종양 증식(보통 혈액암에서 관찰됨) 등 몇 가지 가능한 기전을 밝혔다. 이 증례가 매우 공격적인 위암이라는 우리의 관찰 –알파태아단백AFP 양성 소견의 미분화 종양이었으며, 간의 거의 대부분에 전이가 있었다– 은 다음 가설로 이어졌다. "광범위한 종양 침범과 공격적인 고형 종양은 혈액 종양과 같이 혐기성 대사가 대량으로 일어날 가능성이 있다." 그런 다음 우리는 환자의 광범위한 간 전이와 만성 신장 질환을 기반으로 두 가지 기전을 추가로 제시하였다.

젖산 청소율 감소는 이 증례처럼 중요한 병태생리학적 요인이 될 수 있다. 일반적으로 간은 젖산 회로Cori cycle를 통해 80–90%의 젓산을 제거하는 역할을 하는데 광범위한 암의 간 침범은 젖산 대사에 영향을 주었다고 추측할 수 있다… 환자가 가지고 있던 III–IV기 CKD는 젖산 제거를 위한 신장의 이차 기전을 방해하여

젖산이 전신적으로 축적됐을 가능성이 있다.[21]

이것은 기존 가설을 다른 시나리오에 적용하는 좋은 사례이다. 공격적인 위암이 혈액암처럼 행동할 수 있다는 생각이 가설의 핵심 추론이다.

결론적으로 가설은 독창적으로 혹은 새로운 상황에 맞게 조정하거나 그대로 차용할 수 있다. 독창적 가설은 세 가지 중 가장 어렵지만, 전개하기에 가장 흥미롭고 만족스럽기도 하다. 성공적인 가설을 세우기 위해서 철저한 문헌 검토, 사건 맥락에 대한 분명한 이해, 타당한 설명을 위한 통찰력과 창의성이 필요하다.

추정: 의미 확장

스켈튼 Skelton과 에드워즈 Edwards는 '학술적 의학 글쓰기에서 고찰 부분의 기능'이라는 논문에서 "모든 논문은 결과를 포함하지 않은 결론에 도달해야 한다."라고 하였다.[22] 이는 특히 증례보고에서 그렇다. 추정이 없다면 증례의 서술구조는 해석이나 설명 없이 홀로 남겨지게 된다. 우리는 앞에서 추정의 한 형태인 가설에 대해 논의하였는데, 가설은 증례의 특이한 사건을 설명하기 위해 만드는 것이다. 때로는 설명을 넘어서서 증례보고가 가진 보다 폭넓은 의미에 대해 추정하는 것이 바람직하다. 종종 이런 확장된 추측은 감시surveillance 및 약물 부작용모니터링pharmacovigilance 증례보고와 밀접한 관계를 맺고 마침내 새로운 증후군 및 심각한 약물 부작용에 대한 일종의 "조기 경보 시스템" 역할을 한다.

추측을 자극하기 위해 다음의 질문들을 해보라.
일반 대중들에게 이 증례는 무엇을 의미하는가?
이 질병, 약물 또는 술기에 대한 우리의 이해는 어떻게 바뀔 것인가?
새로운 과학적 통찰이 생기는가?
향후 연구에 어떤 영향을 미치는가?

추정에 대한 몇 가지 사례를 보자. 먼저, 콜라 유발성 저칼륨혈증 환자에게로 되돌아가 보자. 대중들에게 미치는 증례의 의의를 생각하며 다음과 같은 결론에 도달하였다.

과도한 청량음료 섭취는 과당이 유발하는 삼투성 설사 때문에 저칼륨혈증을 일으킬 수 있다. 산업화한 사회의 과도한 청량음료 소비를 고려할 때, 이 증례는 아마도 보고되지도 않고, 진단되지도 않는 칼륨 소모 원인일 가능성이 있다. 근육 약화와 경련 외에도 저칼륨혈증은 부정맥의 역치를 낮춰 특히 심장질환이 있는 사람의 돌연사 위험을 증가시킬 수 있다.[2]

코카콜라 회사는 이런 추정이 즐겁지 않겠지만(제13장 참조), 청량음료를 많이 마시는 사람들이 저칼륨혈증의 합병증을 더 많이 겪을 가능성을 고려하는 것은 논리적이다.

성관계 후 급성 복통이 나타난 폐암 환자의 증례보고는 다음과 같이 일반 암 환자들에게도 도움을 줄 수 있는 결론을 도출하였다.

의사는 급성 복통 소견을 보이는 암 환자의 감별진단 시 부신 출혈을 고려해야 한다. 무거운 물건을 들거나 성관계를 하는 등 복강 내압을 증가시키는 활동은 자연발생 부신 출혈의 위험 요인이 될 수 있다.[23]

저자는 2015년 증례보고에서 유전적으로 변형된 촌충 세포 클론 집단 기원 비인간기원암이 발생한 AIDS 환자에 대한 흥미로운 증례의 핵심적 의의를 적절히 강조하였다.

우리가 보고하는 숙주-기생충 상호작용은 감염과 암 사이 관계에 대한 더욱 심도있는 연구를 위한 자극이 될 것이다.[24]

나는 신장 기능이 정상인 환자의 메트포민 유발 젖산산증에 대한 증례보고에서 일부 취약한 환자 집단이 존재한다고 추정하였다.

이 증례보고는 신장 기능이 정상이고 다른 명백한 위험인자가 없는 소수의 일부 환자들에게 메트포민이 젖산 산증을 유발할 수 있다는 근거를 제공한다. 원인은 불분명하지만 일부 메트포민 치료 환자는 무증상의 선천성 또는 후천성 젖산대사 오류로 인하여 젖산산증에 취약할 수도 있다.[13]

다시 말하지만 맥락에서 가설 그리고 확장된 의미로 이어지는 자연스러운 흐름에 주목하자. 이 모든 부분들이 준비되어 있다면 고찰의 나머지는 모두 어떻게 독자에게 교훈을 줄 것인가에 관한 내용이 된다.

교훈

전통적으로 증례보고를 마무리하는 교훈은 간단하고 명료하며 기억할 만한 것이어야 한다. 히포크라테스의 간결하고 강렬한 격언을 염두에 두어야 한다(제2장 참조). 일반적으로 교훈은 "의사들은 …… 잘 알고 있어야 한다." 또는 "임상의는 ……을 고려해야 한다."와 같은 한 문장으로 구성된다. 보통 주된 교훈은 하나인 것이 가장 좋으나, 동등하게 중요한 가르침이 두 가지 있다면 두 번째 교훈까지는 괜찮다. 두 개를 넘는 교훈은 독자의 기억력에 부담을 주기 시작하고 메시지를 희석시키는 경향이 있다. 교훈을 작성할 때 저자는 "이 증례보고의 요점은 무엇인가? 독자들이 어떤 메시지를 가져가기 바라는가?"라고 자신에게 질문해야 한다. 교훈의 사례로서 이 장에서 논의하였던 여러 증례보고의 교훈은 다음과 같다.

의사는 원인불명의 저칼륨혈증 환자를 진료할 때, 청량음료 섭취 여부에 대해 질문해야 한다.[2]
의사는 고혈압 또는 장기간의 매일 투약이 필요한 질환을 가진 현악기 연주자에게 베타차단제를 처방할 때 비브라토를 연주하지 못할 가능성에 대해 미리 논의해야 한다.[4]
임상의는 오래 전에 유육종증 병력이 있는 환자에서 계속되는 요통이 있을 때 유육종증 척추 재발 가능성을 염두에 두어야 한다.[6]
우리는 환자에게 메트포민을 투여할 때, 드물지만 심각한 용혈 가능성을 일으킬 수 있다는 것을 인지하고 투여하는 것이 중요하다.[10]
의사는 리튬을 투여받고 있는 환자에서 일과성 실어증이 있으면, 특히 체액 결핍, 신부전 또는 과량 투여가 동반되었다면 리튬 중독 가능성을 고려해야 한다.[12]
의사는 위험 요인 및 신장 기능에 관계없이 원인불명의 음이온 갭 대사산증anion gap metabolic acidosis이 있는 메트포민 치료 환자에서 젖산산증 가능성에 대해 생각해야 한다.[13]
이 증례는 폴리설폰 직접 접촉으로 혈소판 감소증을 유발되는 소수의 (투석) 환자가 있을 수 있음을 보여준다.[15].
의사는 B형 젖산산증이 위암을 포함한 다양한 비혈액종양nonhematologic tumors에서 발생할 수 있음을 알고 있어야 한다.[21]

가르침의 요점은 종종 사건의 메시지를 일반화하고 확장시킨다. 그러나 이 교훈은 앞서 기술한 맥락, 가설 및 추측에 대한 논의에서 매우 자연스럽게 생긴다는 것을 알아야 한다.

CARE 지침과 점검표

CARE (CAse REport) 지침(그림 7.4)은 많은 증례보고가 "데이터 분석, 연구 설계에 대한 정보제공, 임상 진료 안내를 위해 취합되어 이용되기에는 엄밀성이 불충분하다."[7]는 사전조사에 기초하여 2013년에 개발되었다. 저자는 27명의 참여자가 관여하는 3단계 합의 절차를 활용하여 증례보고 지침으로 13개 항목의 점검표를 만들었다.[7,25]

CARE 지침을 준수하면 증례보고의 근거 가치가 향상될 뿐 아니라-이 지침이 계속적으로 받아들여지는 경우 -출판 가능성을 높일 수도 있다. 나는 저자들에게 점검표 작성을 끝내고 증례보고를 투고할 때 CARE 지침을 준수했다고 언급하기를 권장한다.

CARE
case report guidelines

CARE Checklist of information to include when writing a case report ✓

Topic	Item	Checklist item description	Reported on Line
Title	1	The diagnosis or intervention of primary focus followed by the words "case report"	
Key Words	2	2 to 5 key words that identify diagnoses or interventions in this case report, including "case report"	
Abstract (no references)	3a	Introduction: What is unique about this case and what does it add to the scientific literature?	
	3b	Main symptoms and/or important clinical findings	
	3c	The main diagnoses, therapeutic interventions, and outcomes	
	3d	Conclusion—What is the main "take-away" lesson(s) from this case?	
Introduction	4	One or two paragraphs summarizing why this case is unique (**may include references**)	
Patient Information	5a	De-identified patient specific information.	
	5b	Primary concerns and symptoms of the patient.	
	5c	Medical, family, and psycho-social history including relevant genetic information	
	5d	Relevant past interventions with outcomes	
Clinical Findings	6	Describe significant physical examination (PE) and important clinical findings.	
Timeline	7	Historical and current information from this episode of care organized as a timeline	
Diagnostic Assessment	8a	Diagnostic testing (such as PE, laboratory testing, imaging, surveys).	
	8b	Diagnostic challenges (such as access to testing, financial, or cultural)	
	8c	Diagnosis (including other diagnoses considered)	
	8d	Prognosis (such as staging in oncology) where applicable	
Therapeutic Intervention	9a	Types of therapeutic intervention (such as pharmacologic, surgical, preventive, self-care)	
	9b	Administration of therapeutic intervention (such as dosage, strength, duration)	
	9c	Changes in therapeutic intervention (with rationale)	
Follow-up and Outcomes	10a	Clinician and patient-assessed outcomes (if available)	
	10b	Important follow-up diagnostic and other test results	
	10c	Intervention adherence and tolerability (How was this assessed?)	
	10d	Adverse and unanticipated events	
Discussion	11a	A scientific discussion of the strengths AND limitations associated with this case report	
	11b	Discussion of the relevant medical literature **with references**	
	11c	The scientific rationale for any conclusions (including assessment of possible causes)	
	11d	The primary "take-away" lessons of this case report (without references) in a one paragraph conclusion	
Patient Perspective	12	The patient should share their perspective in one to two paragraphs on the treatment(s) they received	
Informed Consent	13	Did the patient give informed consent? Please provide if requested	Yes ☐ No ☐

그림 7.4 증례보고 작성 시 포함시켜야 할 정보에 대한 CARE 점검표(Elsevier의 허가 하에 전재[25])

참고문헌

1. Sagi I, Yechiam E. Amusing titles in scientific journals and article citation. J Inform Sci. 2008;34(5):680–7.
2. Packer CD. Chronic hypokalemia due to excessive cola consumption: a case report. Cases J. 2008;1:32.
3. Jenicek M. Clinical case reporting in evidence-based medicine. Oxford: Butterworth-Heinemann; 1999. p. 51.
4. Packer CD, Packer DM. Beta-blockers, stage fright, and vibrato: a case report. Med Probl Perform Art. 2005;20(3):126–30.
5. Chiang E, Packer CD. Concurrent reactive arthritis, Graves' disease, and warm autoimmune hemolytic anemia: a case report. Cases J. 2009;2:6988.
6. Packer CD, Mileti LM. Vertebral sarcoidosis mimicking lytic osseous metastases: development 16 years after apparent resolution of thoracic sarcoidosis. J Clin Rheumatol. 2005;11(2): 105–8.
7. Gagnier JJ, Kienle G, Altman DG, et al. The CARE guidelines: consensus-based clinical case reporting guideline development. J Med Case Rep. 2013;7:223.
8. Rison RA. A guide to writing case reports for the Journal of Medical Case Reports and Biomed Central Research Notes. J Med Case Rep. 2013;7:239.
9. Iacopetti C, Packer CD. Cannabinoid hyperemesis syndrome: a case report and review of pathophysiology. Clin Med Res. 2014;12(1–2):65–7.
10. Packer CD, Hornick TR, Augustine SA. Fatal hemolytic anemia associated with metformin: a case report. J Med Case Rep. 2008;2:300.
11. Choe MJ, Packer CD. Severe romiplostim-induced rebound thrombocytopenia after splenectomy for refractory ITP. Ann Pharmacother. 2015;49(1):140–4.
12. Katz RB, Packer CD. Lithium toxicity presenting as transient transcortical motor aphasia: a case report. Psychosomatics. 2014;55(1):87–91.
13. Packer CD. Metformin-associated lactic acidosis in a patient with vertebral artery dissection. South Med J. 2006;99(10): 1147–8.
14. Reinke CE, Resnick AS. Incarcerated appendix in a spigelian hernia. J Surg Case Rep. 2010;10:3.
15. Muir K, Packer CD. Thrombocytopenia in the setting of dialysis using biocompatible membranes. Case Report Med. 2012;2012:358024.
16. U.S.-acquired human rabies with symptom onset and diagnosis abroad, 2012. MMWR Morb Mortal Wkly Rep. 2012;61(39):777–81.

17. Wali E, Koo P, Packer CD. Acute obstructive suppurative pancreatic ductitis in an asymptomatic patient. Case Rep Med. 2015;2015:919452.
18. Leaute-Labreze C, Dumas de la Roque E, Hubiche T, Boralevi F, Thambo J, Taieb A. Propranolol for severe hemangiomas of infancy. N Engl J Med. 2008;358:2649-51.
19. Tsimihodimos V, Kakaidi V, Elisaf M. I Cola-induced hypokalaemia: pathophysiological mechanisms and clinical implications. Int J Clin Pract. 2009;63(6):900-2.
20. Storch CH, Hoeger PH. Propranolol for infantile haemangiomas: insights into the molecular mechanisms of action. Br J Dermatol. 2010;163(2):269-74.
21. Krimmel JD, Packer CD. Type B lactic acidosis in the setting of gastric adenocarcinoma with extensive metastases. Med Princ Pract. 2015;24:391-3.
22. Skelton JR, Edwards SJ. The function of the discussion section in academic medical writing. BMJ. 2000;320(7244):1269-70.
23. Wang J, Packer CD. Acute abdominal pain after intercourse: adrenal hemorrhage as the first sign of metastatic lung cancer. Case Report Med. 2014;2014:612036.
24. Muehlenbachs A, Bhatnagar J, Agudelo CA, et al. Malignant transformation of Hymenolepsis nana in a human host. N Engl J Med. 2015;373(19):1845-52.
25. Gagnier JJ, Kienle G, Altman DG, Moher D, Sox H, Riley D. The CARE guidelines: consensus-based clinical case report guideline development. J Clin Epidemiol. 2014;67(1):46-51.

제 8 장

특수한 주제

Clifford D. Packer

약물유해반응 증례보고

환자가 새로운 증상이나 비정상적인 실험실 검사결과를 보이면 감별진단에 약물유해반응adverse drug reaction, ADR을 염두에 두어야 한다. 약물유해반응은 흔한 문제이다. 입원환자의 3–8% 정도가 약물유해반응으로 입원하며, 입원환자의 약 7% 정도가 입원기간 중 중대한 약물유해반응serious ADR을 겪는 것으로 추산되고 있다.[1] 대부분 약물유해반응은 알려진 약리작용에 대한 과도한 신체 반응, 즉 용량과 관련됐거나 약효가 증강된 경우이다. 와파린에 의한 출혈이나 항고혈압제에 의한 기립성 저혈압은 흔한 약물유해반응으로 거의 보고되지 않는다. 흔하지 않고 잘 알려진 약리작용과 관계가 없어 예측하기 어려운 용량 무관non–dose related이나 '기이한bizarre' 약물유해반응은 보고할 가치가 충분히 있다.[2] 이런 유형의 예로 페니실린에 대한 아나필락시스, 전신 마취제로 발생한 악성 고열, 비스포스네이트bisphsonates 유발 턱의 골 괴사, 탈리도마이드의 최기형성teratogenicity 등을 들 수 있다.

약물유해반응을 기술한 증례보고는 약물감시pharmacovigilance에서 중요한 역할을 한다. 신약 사용 승인 전, 제2상, 제3상 임상시험으로 수백 명에서 수천 명의 피험자에 대한 약물 효능과 안전성을 평가한다. 약물이 시판되어 수만 명에서 수십만 명의 환자에게 사용되면 드물고 종종 예상치 못한 부작용이 나타나기 시작하기도 한다. 부작용은 트로글리타존 troglitazone에 의한 간부전이나 펜플루라민-펜터민 복합제fenfluramine/phentermine와 관련된 판막질환의 경우처럼 매우 심각할 수도 있다. 약물유해반응 증례보고는 초기 임상시험에서 발견되지 않은 드문 유해 효과를 보고하고 입증할 수 있어 시판 후 감시의 중요한 부분을 차지하며, 제4상 임상시험이라고도 알려져 있다.

약물유해반응 증례보고는 인과관계를 뒷받침하기 위해 시간과의 연관성에 크게 의존하기 때문에 약물 투여와 부작용 발생 사이 시간 관련성을 보여주는 연대표(제7장 참조)를 만들어야 한다. 그림 7.2는 두 가지 투석기 유형이 혈소판 수에 미치는 영향을 설명하는 간단한 연대표이다. 나의 학생 공저자 중 한 명이 작성한 더 복잡한 연대표(그림 8.1)는 오랫동안 다섯 가지 약물, 혈소판 수혈, 비장 절제술이 불응성 혈소판감소성자반증 refractory ITP 환자의 혈소판 수에 미치는 영향을 보여준다.[3] 이 연대표의 목적은 비장절제술 시술을 할 때 로미플로스팀romiplostim 투약이 혈소판 수에 어떤 영향을 주었는지 보여준다. 많은 양의 정보가 이해하기 쉬운 그림 하나로 요약된다. 연대표는 시간 흐름을 명확히 하고, 독자가 매일의 치료 및 반응에 대한 세부사항을 그림을 통해 쉽게 알 수 있기 때문에 저자는 해석에 집중할 수 있다.

설득력 있고 출판 가능한 약물유해반응 증례보고를 작성하는 핵심은 약물과 유해효과 사이의 인과관계에 대해 주목하지 않을 수 없는 주장을 하는 것이다. 이를 위해서 연대표 외에도 감별진단 및 가능한 대안 설명에 대한 고찰이 필요하고, 논거를 뒷받침하기 위해 나란조 약물유해반응 확률척도Naranjo ADR probability scale[4], WHO-UMC 인과성 척도[5] 및 리버풀 유해반응 인과관계 도구[6] 같은 검증된 인과관계 척도를 사용한다. 나란조 척도(표 8.1)는 간단하고 분명하며 사용이 쉽기 때문에 가장 널리 활용되는 인과척도일 것이다. 이 척도는 이전의 확정적인 보고와 동일

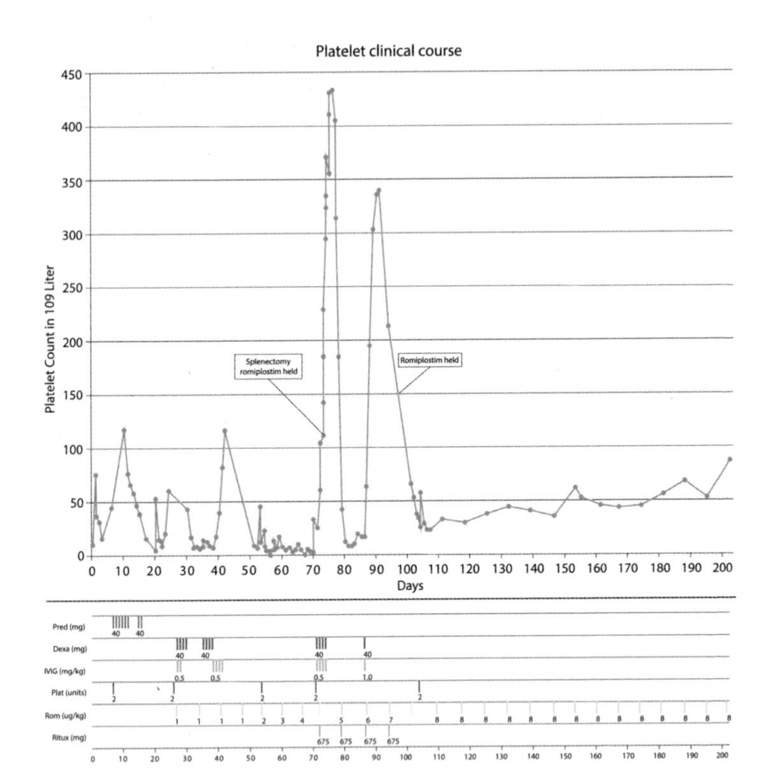

그림 8.1 상단 그래프는 임상경과 전반에 걸친 환자의 혈소판 수치를 나타낸다. 하단 그래프는 중요한 치료 약제의 용량에 대한 시간 관계를 나타낸다. 각 막대는 주어진 날짜의 단일 복용량을 나타낸다. 라벨에는 해당 약물의 용량별 단위가 포함되어 있다. 약어: Pred prednisone, Dexa dexamethasone, IVIG intravenous immunoglobulin, Plat platelets, Rom romiplostim, Ritux rituximab (SAGE 출판사의 허가 하에 전재[3])

표 8.1 The Naranjo ADR probability scale

	예	아니오	모름	점수
1) 이 반응에 대하여 이전의 확정적 보고가 있었는가?	+1	0	0	
2) 의심약물 투여 후 유해반응이 일어났는가?	+2	–1	0	
3) 약물 투여중단 또는 특정 길항제 투여 후 유해 반응이 호전되었는가?	+1	0	0	
4) 약물 재투여 시 유해반응이 나타났는가?	+2	–1	0	
5) 유해반응을 일으킬 만한 다른 원인이 있는가?	–1	+2	0	
6) 위약 투여 후에 유해반응이 다시 나타났는가?	–1	+1	0	
7) 혈액 및 기타 체액에서 약물 독성수준의 농도가 측정되었는가?	+1	0	0	
8) 용량을 증가시키면 더 심해지거나, 용량 감소 시에 유해반응이 줄어드는가?	+1	0	0	
9) 이전에 동일한 약 또는 유사한 약에 노출되었을 때 비슷한 유해반응을 나타낸 적이 있는가?	+1	0	0	
10) 유해반응이 객관적인 근거로 입증되었는가?	+1	0	0	

John Wiley and Sons의 허가하에 전재[4]

평가점수: 확실(Definite) ≥ 9; 개연성 높음(Probable) ≥ 5–8;
가능함(Probable) ≥ 1–4; 의심스러움(Doubtful) ≤ 0

한 반응, 약물과 사건 사이의 시간적 관련성, 대체가능한 원인 부족, 투약과 투약중지에 대한 반응, 그리고 독성약물 혈중수치와 같은 기타 객관적인 근거에 대해 추가점수를 부여한다. 반응에 대한 다른 원인이 있거나 위약을 투여했을 때 반응이 재발하면 점수가 차감된다. 나란조 점수가 "확실definite"하거나 "개연성이 있는probable" 증례보고는 "가능한possible" 점수의 증례보고보다 출판되기 쉬울 것이다. 혼 약물상호작용 확률척도Horn Drug Interaction Probability Scale, DIPS에는 나란조 척도와 동일한 요소가 많이 있을 뿐 아니라 두 가지 약 사이에 관찰된 상호작용이 이미 알려진 상호작용 특성과 일치하는지 여부에 대한 질문도 추가로 포함되어 있다.[7] 저자가 약리학자가 아니라면, 이런 질문에 답하기 위해서는 두 약물의 특성에 관한 추가 연구가 필요하다.

약물유해반응 증례보고의 고찰 부분에서는 약물 반응에 대한 기존의 모든 보고를 검토하여 현재 보고와 비교해야 하며, 가능한 대안적 설명을 포함하여 인과관계를 분석해야 한다. 또한, 반응 기전에 대한 가설을 제시해야 한다. 다음 예시에서는 반복적인 열이 있는 크론병 환자의 아자씨오프린azathioprine, AZA 과민증에 대한 논거를 제시하고 나란조 점수로 결론을 맺는다.

면역 억제제를 투약하는 IBD (inflammatory bowel disease, 염증성 장 질환) 환자의 발열에 대한 감별진단은 일차적으로 감염성 원인에 무게를 둔다. 이 환자에서 감염 원인 단서는 붉은 청어로 판명되었다. 뿌연 흉부 X-ray 소견은 무기폐 가능성이 높았고, 빌리루빈과 아미노전달효소aminotransferase 증가는 담도계 질환보다는 과민반응이 원인이었다. 발열과 백혈구 증가 외에도 환자의 관절통과 발진은 IBD 발적의 장외증상extraintestinal manifestations에 대한 우려가 있었다. 그러나 본 환자의 IBD 장 증상은 악화되지 않았다. 더욱이 그는 IBD를 표적으로 하는 별도의 중재 없이도 "발적flare" 이 있은 후에 임상적으로 개선되었다. 결국 AZA 과민증 가능성을 진지하게 고려한 것은 감염 질환 근거가 계속 없었던 세 번째 입원 후였다. 환자의 발열 시점을 AZA 복용 시기와 맞춰봄으로써 연관성이 분명해졌다. AZA 과민성의 추가 근거로는 AZA 투약 중단 때마다 확인되는 뚜렷한 임상적 개선과 다시 투약할 때마다 악화되는 임상 및 실험실 소견을 들 수 있다. 이처럼 각 노출에 대한 격렬한 환자의 임상 증상은 과민 반응의 전형적 특성이다. 나란조 척도 점수는 8점으로 이것이 실제 약물유해사례일 가능성을 뒷받침한다.[8]

다른 예로 리토나비르ritonavir와 경구 부데소니드budesonide 간 상호작용으로 인한 의인성 쿠싱증후군iatrogenic Cushing's syndrome이 의심되었던 다음 논의를 검토해보자.

본 환자는 부데소니드 투약 시작 직후 부종, 체중 증가, 조절되지 않는 고혈압, 쿠싱양 얼굴, 저칼륨혈증 및 대사성 알칼리증이 발생했으며 투약 중단 후 모든 증상이 소실되었다. 부종의 흔한 원인으로 알려져 있는 울혈성 심부전, 간질환, 신증후군이 없었기 때문에 의인성 쿠싱증후군이 부종의 원인임을 의심할 수 있었다. 부데소니드 농도는 측정되지 않았지만, 고코르티솔증hypercortisolism 상황에서 매우 낮은 혈청 코티솔 수치(0.8 μg/dL)는 외인성 코르티코스테로이드(즉, 부데소니드) 수치가 높았을 것이라는 강력한 간접 근거를 제공한다. 리토나비르-스테로이드 상호작용 유발 의인성 쿠싱병으로 인한 부신 기능저하adrenal suppression는 많은 증례에서 기술된 바 있다. 본 증례의 나란조 척도 및 혼 약물 상호작용 척도 점수는 약물 상호 작용probable drug interaction 특성을 갖추고 있음을 나타냈다.[9]

나란조 척도는 약물유해반응 증례보고의 고찰 부분에서 훌륭한 아웃라인을 제공할 수 있다. 10개의 나란조 질문(또는 답변 가능한 많은 질문 숫자)에 대한 면밀한 답변과 각 답변에 대한 충분한 설명을 위해서는 모든 문헌에 대한 검토와 인과관계에 대한 철저한 조사가 필요하다. 켈리Kelly 등의 지침[10]에 따르면, 이것은 약물유해반응 증례 고찰의 두 가지 필수불

가결한 요소이다.

많은 약물유해반응 증례보고가 출판되고 있지만, 보고의 질과 임상적 유용성 사이에는 차이가 있다. 여러 연구들은 많은 약물유해반응 증례보고에서 의심 약물의 투여경로와 처방, 사회력, 체중, 인종, 알레르기 병력, 간 및 신장 기능, 약물유해반응과 관련지을 수 있는 기전에 대한 논의, 약물과 부작용 사이의 인과관계를 뒷받침하는 객관적인 평가 척도 같은 중요한 요소가 자주 누락되어 있음을 보여준다.[11-13] 이런 문제점을 보완하기 위하여 모든 관련된 환자 데이터 및 약물 정보, 유해반응에 대한 상세한 설명, 문헌상 이전에 보고된 증례에 대한 검토, 상충되는 설명 및 생물학적 타당성 평가를 포함하는 ADR 사례 보고서 제출 지침이 개발되었다.[10] 모든 약물유해반응 증례보고에는 이 요소들이 모두 포함되어야 한다. 불완전하거나 근거가 없는 증례보고는 거의 출판되지 못하며 약물감시 역할도 할 수 없다.

단일환자 임상시험

단일환자 임상시험N-of-1 Trials은 증례보고와 매우 비슷하다. 단일환자 임상시험은 개별 환자 데이터를 활용 최적 치료법을 찾는 개별 환자 대상 연구이다. 본질적으로 임상시험은 변동성을 객관적으로 탐색하여 개별 증례보고들을 더욱 유용하고 일반화할 수 있게 만들게 한다. 일부 단일환자 임상시험은 한 환자에게 차례대로 눈가림, 위약 대조군, 교차설계crossover design, 휴약기간washout periods을 적용한다.[14] 또는 흥미롭거나 특이한 증례에서 유전체 또는 생리학적 특성과 관련한 심도 있는 연구를 포함하기도 한다. 일반적으로 무작위 대조 임상시험RCT이 처치 또는 술기 효과를 평가할 때 가장 좋은 근거로 간주되지만, 단일환자 임상시험이 가지는 중요한 이점은 유전체 의학 및 개인별 맞춤 치료individualized treatment의 시대에 점점 더 분명해지고 있다. 수천 명의 환자를 평가하지만 몇몇 변수만 연구하는 무작위 대조 임상시험과 달리 단일환자 임상시험에서는 치료에 대한 환자의 반응과 관련된 수많은 요인과 미묘한 차이를 더 잘 이해할 수 있다.

능동적으로 진료하는 모든 의사는 수많은 개별 환자를 대상으로 혈압 약을 선택하고 투약하고 역가측정titration을 하는 등 사실상 단일환자 임상시험을 매일 수행한다. 이 임상시험에는 인종, 나이, 성별, 동반 질환, 신장 기능, 복약순응도medication adherence, 잠재적 부작용, 재정적 제약 및 환자 선호와 같은 요인들이 작용한다. 그러나 이런 요소들은 임상시험이 아무리 대규모로 잘 설계되었어도 무작위 대조 임상시험으로 평가하기에는 너무 복잡한 것이 사실이다. 무작위 대조 임상시험은 특정 환자 집단을 위한 가장 좋은 치료법을 규명할 수 있을지는 모르나, 그 혜택을 받지 못하는 개인도 항상 상당수 존재한다. Nicholas J.Schork가 "비정밀의학imprecision medicine"이라 묘사했던 상황이다.[15] 단일환자 임상시험은 이와 반대로, 특정 환자에서 일반 대중 방향으로 작동하도록 설계되었다. 좋은 치료 반응이 예상되는 개인 및 소규모 환자 그룹 특성을 파악한 후, 동일한 특성을 가진 더 많은 환자에 대한 정밀도는 높이고 비반응자nonresponder가 적게 치료를 일반화할 수 있다.

이런 견해와 관련하여 종양학, 특히 임상시험에서 예외적으로 잘 반응하는 소수의 아웃라이어에 대한 흥미로운 몇 가지 사례가 있다. 과거에는 이와 같은 희귀한 우수 반응자super responder들이 "일화적 사례anecdotal cases"로 무시되었지만 최근 집중적인 유전체 연구 결과는 이들이 다른 환자들과 다른 특징이 있다는 것이 확인되고 있다. 예를 들면 비소세포성 폐암과 EGFR 유전자 돌연변이 결장암에서 ROS1 유전체 재배열 같은 특정한 유전적 돌연변이는 우수한 치료 반응의 예측 인자(각각 크리조티닙crizotinib과 세툭시맙cetuximab에 대한 우수한 치료반응)가 될 수 있다는 것이다. 이 발견은 암연구자들이 더 많은 아웃라이어를 찾고 재평가하기 위해 "실패한" 임상시험을 재검토하는 힘이 되고 있다.[14] 2012년 미국 국립 암 연구소National Cancer Institute는 암 치료에 예외적으로 반응을 잘하는 100명 환자 종양조직을 식별하고 유전자 서열을 확인하기 위한 예외적 반응자 계획Exceptional Responders Initiative을 발표했다.[16] 이 계획의 목적은 단일환자 임상시험 사례를 수집, 선별하여 대규모 유전체 데이터베이스를 만들고 임상 의사결정에 활용하는 것이다.[17] 반대로 클로피도그렐clopidogrel, 와파린 및 카바마제핀 등과 같이 일반적으로 사용되는 약물들의 유해반응 보고는 환자를 위험에 빠뜨릴 수 있는 유전적 변이를 발견하는 계기가 되었다. 이로 인해 FDA는 많은 약물의 약물유전체 정보pharmacogenomic information 라벨을 바꿔야 했다.[18,19] 약물 유전체학 외에도 심박수와 수면의 질을 위한 스마트폰 앱, 활동기록기, 연속혈당측정기, 식도 산도 측정기, 심박측정기, 산소분압측정기, 파킨슨병의 손목 떨림 측정기와 같은 무선 원격 "표현형" 감시 장치들은 단일환자 임상시험에서 치료 반응에 대한 정확하고 포괄적인 생리학적 데이터 수집 가능성을 확장시키고 있다.[14]

그렇다면 증례보고와 단일환자 임상시험 사이의 관련성은 무엇인가? 증례보고는 아웃라이어, 약물 부작용, 새로운 증후군, 비정형 소견 등 비정상적 사항에 초점을 맞추는 경향이 있는데 단일환자 임상시험은 이런 증례보고가 제기한 질문에 가장 잘 답할 수 있다. 예컨대, 외상후 스트레스 장애 관련 악몽에 대한 효과적인 치료법으로 프라조신에 대한 수많은 증례보고가 있으나, 무작위 대조 임상시험 결과는 엇갈리게 나타나고 있다.[20] 분명히 일부 환자는 혜택을 받지만 많은 환자는 그렇지 않다는 것이다. 신중하게 설계된 단일환자 임상시험은 이같은 환자의 복잡하고 많은 변수에 대한 가장 충실한 설명과 함께 어떤 환자가 가장 혜택을 볼 수 있을지 알게 해 준다. 반대로 효과가 없을 것으로 추정되면 프라조신을 사용하지 않음으로써 부작용을 피할 수 있다. 어떤 경우라도 연구방향을 포함하여 확장된 의미를 추정하는 것이 중요하다. 따라서 증례보고 고찰에서는 단일환자 임상시험(또는 기타 연구)이 본 증례에서 제시된 질문을 해결할 가능성에 대해 언급하고 검토해야 한다.

더 넓은 관점에서 단일환자 임상시험 시행과 유사하게 증례보고는 귀납적으로 작동한다. 이들은 특정한 것에서 일반적인 것으로 관심이 움직인다. 단일환자 임상시험이 모여서 메타분석을 거쳐 타당하고 일반화된 결론을 도출할 수 있다. 증례보고는 PubMed에 색인된 170만 건 이상의 사례와 함께 거대한 데이터베이스에 이미 축적되어 있어서 임상에서 다른 근거들이 부족하여 치료 결정을 내리기 어려운 상황에 빠졌을 때 효과적으로 사용할 수 있다.

증례군 연구

증례군 연구case series는 유사한 진단을 받았거나 증상들이 비슷하거나 또는 부정적이든 긍정적이든 치료에 대한 반응이 유사한 환자들에 대한 일련의 집단 혹은 시리즈이다. 역학 문헌에서 증례군 연구의 정의와 설계는 대부분 무시되고 있다. 역학 교과서에 대한 한 조사를 보면 27개 교과서 중 5개에서만 색인에서 증례군 연구를 언급했다.[21] 증례군 연구에 필요한 최소 증례 숫자도 분명하지 않다.[22] 몇몇 저자들은 "네 개의 법칙[23]"을 주장했으나, 출판된 많은 증례군 연구는 2-3개의 증례로만 구성되어 있다. 증례군 연구는 비교대상이나 대조군이 없고, 잘 정의된 시작점을 활용하여 시간 경과에 따른 환자 추적을 하지 않는다는 점에서 사례 대조 연구 및 코호트 연구와 구별된다.[21,24] 그래서 증례군 연구의 통계분석은 평균, 중앙값, 범위, 그래프로 제한되는 반면, 사례 대조 연구는 승산비odds ratio, OR 및 절대위험감소absolute risk reduction, ARR의 계산이 포함될 수 있다.

증례군 연구의 목적과 기능은 증례보고와 유사하다. 새로운 질병이나 질병의 희귀한 증상을 인지하여 기술하며, 약물 부작용을 감지하여 질병 기전을 연구하고 의학 교육을 지원하는 것이다. 또한 증례군 연구는 증례의 정의, 원인에 대한 단서, 단일 의사 또는 병원의 임상결과 보고, 추세 또는 "벤치마킹" 분석과 다기관 레지스트리 연구에 유용하다.[25] 새롭거나 특이한 일련의 증례들은 단일 증례보다 더 신빙성을 갖추고 있기 때문에 증례군 연구는 증례보고보다 더 강한 근거를 제공할 수 있다. 따라서 증례군 연구는 가설을 수립하는 연구로 강한 설득력이 있으며 가설 확증을 위한 추가 임상시험으로 이어질 수 있다. 중증 유아 혈관종 치료에 대한 프로프라놀롤의 전신 효과를 보여주는 2008년 증례군 연구가 좋은 본보기다.[26] 이 연구는 증례군 연구, 생리학 연구, 무작위 대조 임상시험, 메타분석의 추가 연구로 이어졌으며 그 결과 프로프라놀롤은 이 질병에 1차 요법으로 널리 받아들여지게 되었다. 마찬가지로 주폐포자충 폐렴Pneumocystis carinii pneumonia과 카포시 육종 관련 증례군 연구는 면역 억제 가설 및 AIDS 바이러스의 발견으로 이어졌다.

그러나 증례군 연구에는 약점이 있다. 이 연구 방법은 비교 그룹이 없기 때문에 원인과 결과, 질병 빈도 및 치료 효과에 대한 질문에 대하여 추가 연구 없이는 답할 수 없다. 또한, 이 연구 방법은 연구자가 증례를 스스로 선택하기 때문에 선택 편향selection bias의 영향을 받는다.[27] 이런 약점으로 인하여 유용한 치료법이 폐기되거나 혹은 잠재적으로 유해한 시술을 할 수도 있다.[28] Wakefield 등의 1998년 12 증례군 연구를 살펴보자. 이 논문은 홍역, 유행성 이하선염, 풍진MMR 예방접종과 소아 만성장염 및 퇴행성 발달장애 사이에 관련성이 있을 것이라고 가정하였다.[29] 이 논문은 엉터리로 밝혀졌고 나중에 논문이 철회되었으며 여러 역학연구를 통하여 MMR 예방접종과 자폐증의 연관성 가설은 틀린 것이라고 밝혀졌다. 그러나 백신이 자폐증을 유발할 수 있다는 생각이 대중적으로 어느 정도 관심을 끌었기 때문에 피해는 지속되었다. 이후 수년간 예방접종

률이 줄었고 예방할 수 있었던 홍역, 유행성 이하선염, 백일해의 유행을 가져왔다.

일련의 증례들을 여러 출처에서 모을 수도 있지만, 증례들의 비교와 해석에 있어 균일한 임상 측정 기준을 활용할 수 있다는 점에서 단일출처가 더 나을 수 있다.[25] 저자들은 자신이 직접 관찰한 증례만 보고할 수도 있고, 또는 여러 임상 현장에서 증례를 수집할 수도 있다. 증례군 연구는 단면연구 즉 정해진 시점에서 증례 특성의 순간적인 묘사일 수 있으며, 시간이 지남에 따라 증례가 추적되는 종단연구일 수도 있다. 종단 증례군 연구는 임상 경과와 결과에 대하여 더 나은 이해를 제공한다.[25]

증례군 연구를 작성할 때 기본 구조는 기존 증례보고와 동일하며 이는 제7장에서 상세하게 설명하였다. 대부분의 증례군 연구 보고서는 통계적 검정 없이 소수 환자만을 대상으로 하는 기술적 연구descriptive studies이므로 “방법methods” 부분이 필요하지 않다. 그렇지만 많은 환자와 통계분석을 포함하는 더 복잡한 증례군 연구에서는 서론과 증례 기술 사이에 “방법” 또는 “환자 및 방법” 부분을 간략하게 추가한다. 여기에는 기술된 증례의 숫자, 추적 관찰 시기 및 기간, 연구포함 기준 및 진단 기준, 평가 방법, 통계분석방법 기술, 환자 동의 및 필요한 경우 IRB 승인이 포함되어야 한다. 예컨대, 1986년부터 2007년까지 브라질에서 발생한 일련의 류마티스열 소견 및 임상결과에 관한 증례군 연구에서는 178건의 진단이 이루어졌고 그 중 134건이 선택되었다. 포함 기준은 18세 미만 연령, Jones 기준 충족 그리고 최소 1년 정기적인 추적 관찰이었다. 한 명의 저자가 모든 증례에 대하여 추적하고 연속형 변수에 대한 기술통계를 수행하였으며, 임상 및 심장초음파 데이터와 생명표 생존분석을 이용해 재발 및 심장염의 확률을 평가했다.[30]

증례 기술은 비교를 쉽게 하기 위하여 모든 필수 인구통계학 데이터, 임상 데이터 및 임상계측 데이터가 포함된 짧은 단락들로 구성된다. 개별적으로 나열하기에 너무 많은 보고가 들어있는 증례군 연구 경우, 종종 두세 가지 증례에 대한 기술이 예시로 포함되고 중요한 임상관찰 목록과 함께 모든 증례들에 대한 요약이 뒤따른다. 예컨대 카포시 육종을 앓고 있는 8명의 남성 동성애 환자로 구성된 1981년의 증례군 연구에는 두 가지 간략한 증례 기술이 있다. 우리는 그룹 전체에서 7명이 전신 림프절병증, 6명은 내장 침습, 1명은 뇌 침습이 있었으며, 3명은 카포시 육종으로 사망했고 1명은 항진균 요법에 반응하지 않는 전격성 크립토콕쿠스증overwhelming cryptococcosis으로 사망하였다는 것을 알 수 있었다. 환자의 연령, 인종, 피부 및 내장의 병변 위치, CMV 및 B형간염 역가, 이환 기간, 화학 요법 및 결과가 비교표에 포함되어 있다.[31]

모든 증례군 연구에서 비교표는 필수적이다. 단일 증례보고 비교표가 대상 증례를 타 문헌의 유사 증례와 비교하는 것과 달리 증례군 연구의 표는 연구에 포함된 증례를 내부적으로 비교한다. 표 8.2는 소아 바터 증후군Bartter's syndrome을 앓고 있는 인도 환아 7명 증례들에 대한 혈청 레닌 수치, 알도스테론 수치 및 복부 초음파 소견을 보여준다.[32] 고찰에서 저자는 환아의 임상적, 생화학적 특징을 소아 바터 증후군 관련 다른 증례군 연구와 비교하였는데, 13명의 아랍 환아 증례군 연구에서도 모든 증례에서 저칼륨혈증, 저염소혈증hypochloremia, 대사성 알칼리증 및 과레닌혈증hyperreninemia이 나타났다는 점에 주목했다. 저자들은 단일 증례보고와 같이 다음의 중요한 교훈으로 결론을 내린다. “성장장애failure to thrive 및 대사성 알칼리증 병력이 있는 모든 소아에 대하여 바터 증후군을 의심할 필요가 있다. 조기 진단 및 NSIADS를 이용한 치료가 환자의 생명을 구한다.”

표 8.2 소아 바터 증후군 환아 7명의 혈청 레닌, 알도스테론 및 신장초음파 소견

증례 번호	혈청 레닌 (ng/mL/h)	혈청 알도스테론 (ng/L)	초음파 소견
1	8.5	330	정상
2	187	848.7	양측 내과적 신증
3	6.05	1,400	정상
4	3.23	86.3	양측 신피질 에코 증가
5	8.6	752	정상
6	40.71	967	신석회증
7	4	135	정상
평균	36.8 ± 42.3	645 ± 82.7	

Sampathkumar 등의 허가하에 전재[32]

정리하자면 증례군 연구는 새로운 또는 증가하는 질병emerging disease 그리고 치료 및 약물 부작용을 설명하고 추가 연구를 위한 가설을 만드는, 간단하고 이해하기 쉬우며 저렴한 방법이다. 증례군 연구의 한계는 선택편향 가능성, 대조군 결여, 일반화 가능성 부족, 잘못된 결론으로 인한 잠재적 피해(일화적 오류, anecdotal fallacy) 등을 들 수 있다. 증례군 연구는 증례 선택 및 통계 분석을 기술하기 위해 "방법" 부분이 가끔 필요하다는 점을 제외하면, 단일 증례보고와 동일한 기본 구조를 가지며, 고찰에는 문헌 검토에 더해 증례 특성의 내부 비교가 포함되어야 한다. 증례보고처럼 증례군 연구의 세 가지 주요 목표는 증례를 맥락에 맞게 배치하고, 연구결과를 설명하기 위한 가설을 전개하며, 교훈을 제시하는 것이다.

"임상 영상" 논문 작성 방법

실제 "이야기를 전달하는" 좋은 임상 영상은 더욱 설득력 있고 신뢰할 수 있는 증례보고를 만든다. 나는 증례보고에서 사진, CT, MRI 및 PET 스캔 영상과 병리학 현미경 사진을 활용했다. 온라인 전자 증례보고 시대에 실시간 비디오, 심장 초음파, 초음파, 심음도, 혈관조영술 및 기타 다양한 매체들이 점점 표준이 되고 있다. 정적이든 동적이든 좋은 영상은 수백 단어의 설명을 없애고 군살이 빠진 더 간결한 증례보고를 만들 수 있다. 편집자는 효과적인 영상이 있는 증례를 출판하는 것을 좋아하며, 또한 짧고 간결한 논문을 좋아한다. 편집자들은 점점 이미지를 중심으로 놓고, 증례보고는 단순한 사진 설명으로 축소시키고 있다. 실제로 많은 학술지에서 "임상 영상clinical images" 논문이 전통적 증례보고를 대체하는 것처럼 보인다. 증례보고의 미래가 단어 하나 없이 영상으로만 구성되는 "화씨 451Fahrenheit 451 (Ray Bradbury의 1953년작 SF 소설. 가까운 미래를 배경으로 과학기술의 발달에 의해 인간의 생각이 통제되는 사회에 대한 경고를 담은 디스토피아적 줄거리를 담고 있음 – 역자 주)" 같은 형태가 되는 것은 개인적으로는 생각하고 싶지도 않지만, 의사가 가장 매력적인 임상 영상을 제시하는 방법에 대해서 아는 것은 중요하다고 생각한다.

많은 의사들의 예상과 다르게 가장 희귀하고 특이하며 극단적인 영상만 출판되는 것은 아니다. 사실, New England Journal of Medicine (NEJM)의 "Images in Clinical Medicine" 섹션을 검토한 결과 많은 수의 일반적인 임상 상태(홍역, 풍진, 점액종, SVC 증후군) 및 소견(회내전 이동pronator drift, 상지 경련upper limb clonus, 케논 A파cannon A waves, 교대성 맥박pulsus alternans)도 있고 Grynfeltt 탈장, 물고기 떼와 충돌 과정에서 한 수영선수의 눈이 물고기의 아래 턱 뼈에 부딪친 후 발생한 안검하수, 파종성 라임병을 가진 소년에서 발생한 양측성 안와주위 홍반이동증과 같이 특이한 증례도 있다. NEJM의 저자지침에서는 "의사들이 경험하는 시각적 발견과 다양성의 감각을 포착하는 것"을 목표로 "일반적인 의학적 상태에 대한 고전적인 영상"을 요구한다.[33] 일반적인 조건의 "전형적 이미지"라는 개념은 많은 저널에서 공통적인 주제이다. BMJ는 그들이 원치 않는 이미지의 종류를 "이물질, 심한 외상 결과, 흥미롭더라도 열악한 영상 품질, 단순한 '교과서적' 소견, 다른 의사나 환자를 비평하기 위한 단순 투고"라고 분명하게 명시하고 있다.[34] Lancet는 다른 의사에게 유용할 뿐 아니라 흥미롭고 교육적이며 환자를 존중하는 시각 정보를 요구하며, "단순히 의학적 상태의 극단적인 예시를 보여주는 사진에는 별 관심이 없다."고 말한다.[35] 마지막으로 Canadian Medical Association Journal[CMAJ]는 "희귀한 질환에 대한 흔한 소견이나 평범한 문제에 대한 특이한 소견"을 설명하는 "흥미롭고, 고전적이거나 극적인 영상"을 요구한다.[36] 이 같은 지침들은 다양한 종류의 영상에 대하여 선택의 자유를 주지만, 공통된 맥락은 가장 훌륭한 영상이란 놀랍고 흥미로우며 인상적인 것 외에도 우리에게 줄 중요한 가르침을 갖고 있어야 한다는 것이다. 즉, 참신함은 중요하지만 임상적 가르침, 교훈도 중요하다. 이런 측면에서 임상 영상 논문은 증례보고와 매우 유사하다.

일반적으로 임상 영상의 표제는 학술지에 따라 100-450 단어로 제한된다. Lancet 지침에 따르면 표제는 간단한 환자 병력을 제공하고 영상에 맥락을 부여하며 "영상이 보여주는 내용과 일반 독자의 관심을 끄는 이유를 설명"해야 한다.[35] 여기에는 역학, 감별진단, 관리 전략, 예후 또는 영상에 의해 제시된 기타 문제에 대한 추가 고찰이 포함될 수 있다. 예를 들어, NEJM "Images in Clinical Medicine" 최근 논문들은 케논 A파가 있는 환자의 비디오, 리드 V1의 QRS 말단 부분에서 특징적인 패임이 나타나는 방실 회귀성 빈맥을 보여주는 심전도, 케논 A파의 병태생리학 및 감별진단에 대한 간략한 고찰, 전기 생리학적 연구 결과, 느린 경로 절제 후 추적 관찰을 포함한 임상 경과 등을 포함하고 있다.[37] 놀랍게도 이 모든 정보가 222 단어의 표제로 전달된다. 간결함은 임상 영상의 핵심이며, 가능하면 사진이 그 자체로 말하도록 해야 한다.

출판할 수 있는 임상 영상을 어떻게 찾을 수 있나? 루이 파스퇴르가 말했듯이 "준비된 자에게만 기회가 온다(Chance favors the prepared mind)." 방심하지 말고 진료실에서 그리고 회진할 때 스마트폰을 휴대하며, 환자의 영상을 기록하기 전 서면 동의를 요청할 준비를 하라. 비정상적이고 기이한 것뿐 아니라 일반 질병의 전형적인 영상과 모범적인 진찰 소견도 빠뜨려서는 안 된다. 사진과 표준적인 영상 연구 외에도 비디오 및 실시간 모니터링 장치를 창의적으로 활용한다. 영상의 영향력과 설득력을 높이려면 하나 이상의 기법을 사용해야 한다. 예를 들어, 좌방실다발갈래차단left bundle branch block으로 야기된 고전적 역설의 S2 분열classic paradoxical S2 split 환자의 경우 표준 12리드 심전도와 함께 호흡추적을 갖춘 심음도검사를 포함시킨다. 무엇보다 호기심을 가져야 한다. 예상치 못한 병변을 촬영하는 가장 좋은 이유는 병변을 보존하고 연구하고 최종적으로 진단하기 위함이다. 진단이 어려운 경우 병리전문의나 피부과 전문의 또는 진단을 도울 수 있는 다른 사람을 찾는다. 증례보고와 마찬가지로 임상 영상은 진단 없이 출판될 수 없다. 도움이 되는 동료가 기꺼이 공저자로 참여할 것이다.

"임상 퀴즈" 또는 "수수께끼 영상"

임상 퀴즈는 영상을 제시하는 또 다른 흔한 형태로, 영상 표제에 간략한 병력이 주어지고 독자의 지식을 시험하기 위한 한 개 이상의 질문(일반적으로 객관식)이 이어진다. 해설이 있는 답안은 별도로 제공된다. 나의 최고 의대생 중 한명이 내과 실습생으로 일하는 동안 병동에서 치료한 환자를 바탕으로 다음과 같은 임상영상 논문을 게재하였다(그림 8.2 및 첨부 텍스트 참조).

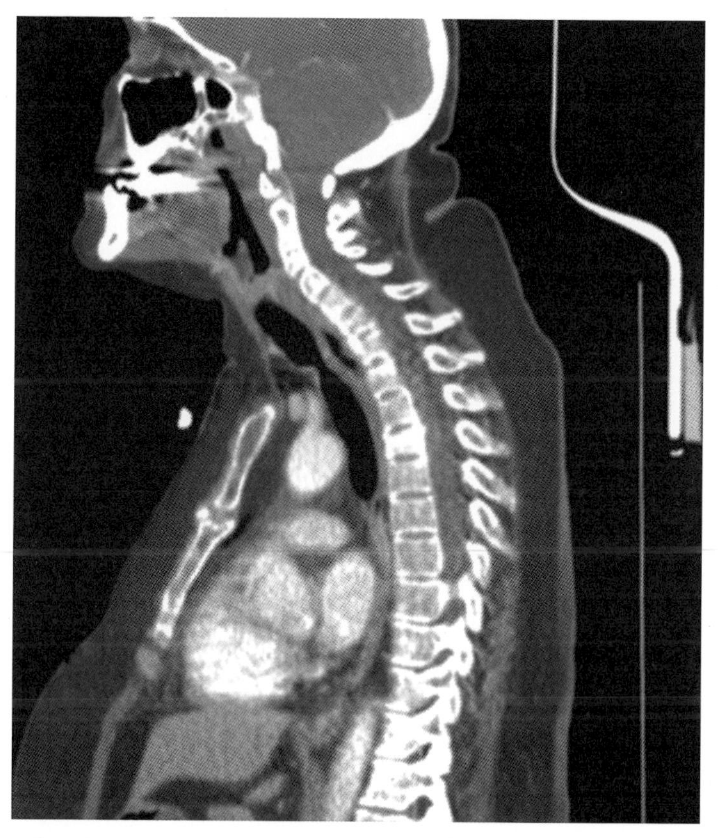

그림 8.2 중증 기관 협착이 확인되는 흉부와 목의 sagittal CT 소견(Stohl과 Packer의 허가 하에 전재[38]

역설적 제목인 "천식이 천식이 아닐 때"에 주목하자. 퀴즈가 없는 단순한 "임상 영상" 논문이라면 "삽관 후 기관협착증"같은 간단한 제목이 가장 좋을 것이다(제7장의 증례보고 논제에 대한 저자 의견 참조). 그러나 임상퀴즈나 수수께끼 영상에서는 아이러니하거나 신비스럽고 유머러스한 제목이 불확실성을 유지하여 독자들이 수수께끼를 풀도록 유인하는 데 유리하기 때문에 위의 제목이 적절하다.

천식이 천식이 아닐 때

5갑/년pack-year의 흡연력을 가진 52세 여성이 상기도 감염 후 2주간 지속된 호흡곤란, 천명음, 마른 기침으로 병원에 입원했다. 환자의 병력 중 수개월 전 약물 과다복용 유발 저산소성 호흡부전으로 72시간 동안 기관지 삽관한 병력이 눈에 띄었다. 환자는 호흡곤란으로 입원한 적이 없었으며, 계절성 알러지로 알부테롤albuterol 흡입기를 처방받았다. 환자는 증상을 최소한으로 완화시키면서 하루에 네 차례 알부테롤 흡입기를 사용하고 있다. 병원 입원 기간 동안 알부테롤과 이프라트로피움 분무기를 사용했으며, 퇴원하여 천식 악화로 추정되는 증상에 대해 5일간 프레드니손을 투약하기로 했다. 환자는 증상이 지속되어 5일 후 응급실을 다시 방문하였다. 폐 청진에서 운동할 때 경미한 양측 호기 천명음과 격렬한 호흡음이 확인되었다. 나머지 진찰 소견에는 특별한 것이 없었다. 흉부 방사선 사진은 정상이었으며, 폐활량측정spirometry에서 유속-부피 커브flow-volume loop는 고정된 폐쇄병변 소견에 합당한 흡기 및 호기 흐름의 현저한 제한을 보였다. 유연후두내시경 검사에서 제3기관연골에서 80%의 기관 협착이 드러났다. 가슴과 목의 조영 증강 CT에서 기관 중간 부분에서 6 mm × 3 mm 면적의 협착이 확인되었다.

삽관 후 기관협착증 발병의 가장 중요한 위험요인은 무엇인가?

- 커프 압력 및 부피
- 위식도 역류질환의 병력

- 여성
- 코르티코스테로이드의 동시 사용
- 이전의 삽관 경력이 없는 경우

이 학술지는 온라인 학술지이므로 독자에게 가장 맞는 답변을 클릭하라는 메시지가 표시된다. 선택을 마치고 나면, 각 답변을 택한 독자의 비율이 표시된다.

- 커프 압력 및 부피(72.31%)
- 위식도 역류질환의 병력(15.38%)
- 여성(7.69%)
- 코르티코스테로이드의 동시사용(3.08%)
- 이전의 삽관 경력이 없는 경우(1.54%)

이제 독자는 정답과 해설을 볼 수 있다.

정답: A. 커프 압력 및 부피

객관식 문항 해설:

최근 삽관 병력이 있는 환자에서 새롭게 호흡기 증상이 발생하였거나 증상이 악화 되면 기관 협착증 진단을 고려해야 한다. 일반적으로 천식 또는 만성 폐쇄성 폐질환으로 오진되어 진단과 치료가 지연된다. 커프 압력과 부피는 기관지 삽관 후 기관 협착증의 발병을 예측하는 가장 중요한 요인이다. 협착은 기관지 삽관의 커프 부위에서 가장 자주 발생한다. 커프는 기관 벽에 압력을 가하여 점막 허혈과 궤양을 일으켜 연골염과 섬유증을 유발한다. 다행히 대용량 저압력 커프가 개발되어 기관 협착 발생을 현저하게 줄였다. 협착증 발생에 기여하는 다른 요인으로는 삽관 기간, 외상성 삽관, 삽관 과거력, 코르티코스테로이드 과다 투여, 고령, 여성, 중증 호흡부전, 중증 역류질환, 자가면역질환, 폐쇄성 수면 무

호흡증 및 목이나 가슴에 대한 방사선 요법 과거력 등이 있다. 진단 후 이 환자는 알부테롤 및 이프라트로피움 분무기를 계속 사용했고 증상이 경미하게 개선된 상태에서 프레드니손을 다시 투약하였다. 이후 그녀는 기관절제술을 받았고 합병증이 없었다.[38]

삽관 후 기관 협착증에 대한 일반적인 임상 시나리오, 병태생리, 위험요인 및 치료에 대해 모두 간략하게 논의하고 기관 협착이 흔히 천식이나 만성 폐쇄성 폐질환으로 잘못 오인되어 진단 및 치료를 지연시킬 수 있다는 중요한 교훈을 명시하였다는 점에 주목하자. 객관식 문항은 너무 어렵지도, 쉽지도 않고 일반 의학 학술지를 읽는 전공의나 일반의에게 적합한 수준이다.

분과전문의 수준 문항은 분과전문 학술지에 실려야 한다. 다음은 감염내과 전문의를 대상으로 하는 어려운 객관식 문항의 사례이다. 이 문항은 다제내성 KPC를 생성하는 폐렴간균으로 인한 신우신염Klebsiella pneumonia pyelonephritis이 있었던 임산부 증례이다.[39]

증례에 제시된 환자에 적합한 항생제는 무엇인가?

A. 정맥 콜리스틴

B. 경구 포스포마이신

C. 경구 포스포마이신과 메로페넴 주입 연장

D. 경구 포스포마이신과 세페핌 주입 연장

E. 정맥 셉타지딤-아비박탐

F. 정맥 메로페넴과 에르타페넴

이 증례와 관련된 임상 영상은 이 환자로부터 분리 배양된 KPC-생성-클레브시엘라균의 유전적 유형과 두 종류의 더 일반적인 KPC-생성-클레브시엘라균 분리주를 비교한 것이다. 항생제 감수성 검사표도 포함되

표 8.3 임상 영상과 수수께끼 영상 / 임상 퀴즈 논문의 비교

논문 유형	임상 영상	수수께끼 영상/임상 퀴즈
제목	• 직설적, 서술적	• 신비롭거나 아이러니하거나 역설적
영상 선택	• 일반적인 질병/검사 결과의 전형적인 영상 • 흔한 질환의 드물거나 비정형적인 소견 • 희귀한 질환의 교과서적 소견 • 드문 유해효과 • 높은 교육적 가치 • 다양한 이미지를 활용한 교육 증진(예를 들어 경정맥 맥동의 심전도 및 비디오) • 적절한 범례와 화살표를 갖춘 고품질 영상 • 피할 것: 이물질, 심한 외상, 극도의 희소성, 저품질 영상, 의사 또는 환자에 대한 암시적 비판	• 일반적으로 "임상 영상" 논문과 동일 • 다수 또는 대부분의 일반 임상의와 일부 전공의가 진단할 수 있는 소견 • 너무 분명하지도, 너무 모호하지도 않아야 함 • 높은 임상 관련성 • 높은 교육적 가치 • 피할 것: 불분명하고 임상적으로 관련이 없는 사례, 명확한 실제 가치가 없는 상식, 분과 전문가를 대상으로 하지 않는 과도한 기술적 복잡성(예를 들어 웨스턴 블롯과 겔 등 분자생물학적 실험기법, 감지하기 힘든 방사선상 변이형, 전기생리학적 검사 등)
표제	• 일반적으로 100–450 단어 • 간략한 증례의 병력, 병태생리학적 고찰, 감별진단, 임상경과, 의의 등의 포함	• 일반적으로 300–1,500 단어 • 간략한 증례의 기록만 필요: 병태생리학, 감별진단 등에 대한 고찰은 객관식 질문에 대한 정답 제시 이후 별도 제공 • 대다수 일반의들이 이해할 수 있어야 함
해설이 있는 객관식 문항과 정답	• 해당없음	• 분과전문의 수준의 문항은 분과전문 저널에만 실려야 함 • 오답에 대한 해설이 필요함 • 정답에 대한 타당한 이유를 확인한 후 고찰이 뒤따름
교훈	• 필수적	• 필수적

어 있다. 이 증례 기반 퀴즈는 감염성 질환 전문가에게도 상당한 도전이며 이 치명적인 감염 환자의 치료를 개선하고자 하는 의도를 담고 있다.[40] 마찬가지로 기관 협착 증례는 일반의에게 중요한 교육 메시지를 담고 있다. 임상 퀴즈와 영상은 이런 교훈을 더욱 기억에 남게 만들고, 학습 과정에 동기를 부여하고 즐겁게 만드는 데 도움이 된다.

표 8.3은 임상 영상과 수수께끼 영상/임상 퀴즈 논문의 특징을 비교한다. 논문 유형에 관계없이, 강렬한 교훈을 가진 분명하고 설득력 있는 영상이 출판 가능성이 가장 높다.

참고문헌

1. Lazarou J, Pomeranz BH, Corey PN. Incidence of adverse drug reactions in hospitalized patients: a meta-analysis of prospective studies. JAMA. 1998;279:1200–5.
2. Edwards IR, Aronson JK. Adverse drug reactions: definitions, diagnosis, and management. Lancet. 2000;356:1255–9.
3. Choe M, Packer CD. Severe romiplostim-induced rebound thrombocytopenia after splenectomy for refractory ITP. Ann Pharmacother. 2015;49(1):140–4.
4. Naranjo CA, Busto U, Sellers EM, et al. A method for estimating the probability of adverse drug reactions. Clin Pharmacol Ther. 1981;30:239–45.
5. The use of the WHO-UMC system for standardized case causality assessment. http://who-umc.org/Graphics/24734.pdf. Accessed 7 Feb 2016.
6. Gallagher RM, Kirkham JJ, Mason JR, et al. Development and inter-rater reliability of the Liverpool adverse drug reaction causality assessment tool. PLoS One. 2011;6:e28096.
7. Horn JR, Hansten PD, Chan LN. Proposal for a new tool to evaluate drug interaction cases. Ann Pharmacother. 2007;41(4):674–80.
8. Mookherjee S, Narayanan M, Uchiyama T, Wentworth KL. Three hospital admissions in 9 days to diagnose azathioprine hypersensitivity in a patient with Crohn's disease. Am J Ther. 2015;22(2):e28–32.
9. Frankel JK, Packer CD. Cushing's Syndrome due to antiretroviral-budesonide

interaction. Ann Pharmacother. 2011;45(6):823–4.

10. Kelly WN, Arellano FM, Barnes J, et al. Guidelines for submitting adverse event reports for publication. Drug Saf. 2007;30(5):367–73.
11. Kelly WN. The quality of published adverse drug event reports. Ann Pharmacother. 2003;37(12):1774–8.
12. Impicciatore P, Mucci M. Completeness of published case reports on suspected adverse drug reactions. Drug Saf. 2010;33(9):765–73.
13. Kane–Gill SL, Smithburger PL, Williams EA, Felton MA, Wang N, Seybert AL. Published cases of adverse drug reactions: has the quality of reporting improved over time? Ther Adv Drug Saf. 2015;6(2):38–44.
14. Lillie EO, Patay B, Diamant J, Issell B, Topol EJ, Schork NJ. The n–of–1 clinical trial: the ultimate strategy for individualizing medicine? Per Med. 2011;8(2):161–73.
15. Schork NJ. Personalized medicine: Time for one–person trials. Nature. 2015;520(7549):609–11.
16. Exceptional responders initiative: questions and answers. http:// www.cancer.gov/news–events/press–releases/2014/ExceptionalRespondersQandA. Accessed 7 Feb 2016.
17. Brannon AR, Sawyers CL. "N of 1" case reports in the era of whole genome sequencing. J Clin Invest. 2013;123(11):4568–70.
18. Topol EJ. Pharmacy benefit managers, pharmacies, and pharmacogenomics testing: prescription for progress? Sci Transl Med. 2010;2(44):44cm22.
19. Hamburg MA, Collins FS. The path to personalized medicine. N Engl J Med. 2010;363(4):301–4.
20. Kung S, Espinel Z, Lapid MI. Treatment of nightmares with prazosin: a systemic review. Mayo Clin Proc. 2012;87(9):890–900.
21. Dekkers OM, Egger M, Altman DG, Vandenbroucke JP. Distinguishing case series from cohort studies. Ann Intern Med. 2012;156:37–40.
22. Abu–Zidan FM, Abbas AK, Hefny AF. Clinical "case series": a concept analysis. Afr Health Sci. 2012;12(4):557–62.
23. Vandenbroucke JP. In defense of case reports and case series. Ann Intern Med. 2001;134:330–4.
24. Johnson LL. Observational studies. In: Gallin JI, Ognibene FP, editors. Principles and practice of clinical research. 3rd ed. Amsterdam: Academic Press; 2012. p. 209–10.
25. Jenicek M. Clinical case reporting in evidence–based medicine. Oxford: Butterworth–Heinemann; 1999. p. 101.

26. Leaute-Labreze C, Dumas de la Roque E, Hubiche T, Boralevi F, Thambo J, Taieb A. Propranolol for severe hemangiomas of infancy. N Engl J Med. 2008;358:2649-51.

27. Hess DR. Retrospective studies and chart reviews. Respir Care. 2004;49(10): 1171-4.

28. Martyn C. Case reports, case series, and systemic reviews. QJM. 2002;95(4): 197-8.

29. Wakefield AJ, Murch SH, Anthony A, et al. RETRACTED: Ileal-lymphoid-nodular hyperplasia, non-specific colitis, and pervasive developmental disorder in children. Lancet. 1998;351(9103):637-41.

30. Carvalho SM, Dalben I, Corrente JE, Magalhaes CS. Rheumatic fever presentation and outcome: a case-series report. Rev Bras Reumatol. 2012;52(2):236-46.

31. Hymes KB, Greene JB, Marcus A, William DC, Cheung T, Prose NS, et al. Kaposi's sarcoma in homosexual men - a report of eight cases. Lancet. 1981;2(8247):598-600.

32. Sampathkumar K, Muralidharan U, Kannan A, Ramakrishnan M, Ajeshkumar R. Childhood Bartter's syndrome: an Indian case series. Indian J Nephrol. 2010;20(4):207-10.

33. NEJM Author Center: images in clinical medicine. http://www.nejm.org/page/author-center/images-in-clinical-medicine. Accessed 28 Feb 2016.

34. BMJ Minerva Pictures. http://www.bmj.com/about-bmj/resources-authors/article-types. Accessed 28 Feb 2016.

35. Clinical Pictures. Lancet. Information for authors. http://www.thelancet.com/pb/assets/raw/Lancet/authors/lancet-informationfor-authors.pdf. Accessed 28 Feb 2016.

36. CMAJ Submission guidelines: clinical images. http://www.cmaj.ca/site/authors/preparing.xhtml#practiceImages. Accessed 28 Feb 2016.

37. Tung MKY, Healy S. Cannon A waves. N Engl J Med. 2016;374:e4.

38. Strohl M, Packer C. When asthma is not asthma. JGIM clinical images. 2015. http://www.sgim.org/web-only/clinical-images/when-asthma-is-not-asthma. Accessed 23 Feb 2016.

39. Khatri A, Naeger Murphy N, Wiest P, Osborn M, Garber K, Hecker M, et al. Community-acquired pyelonephritis in pregnancy caused by KPC-producing Klebsiella pneumoniae. Antimicrob Agents Chemother. 2015;59:4375-8.

40. Arias CA, Rice LB. A new AAC section: translating resistance to the bedside. Antimicrob Agents Chemother. 2015;59:4365.

제 9 장

임상 소발표 초록(Clinical Vignette Abstract) 작성법

Jeffrey Wiese and Somnath Mookherjee

도입

많은 전문 의학 학술대회에서는 저자들에게 임상 소발표 초록(구조화된 초록 형식의 간결한 증례보고) 투고를 요청하곤 한다. 이 초록에는 효율적이고 정확한 글 솜씨가 필요한 엄격한 단어 제한이 있다. 투고된 원고는 정해진 기준(표 9.1)에 따라 동료 심사를 받게 된다. 승인받은 초록 저자는 포스터를 발표하거나 짧은 구두발표를 할 수 있다. 이 장에서는 학술대회 투고를 위한 우수한 임상 소발표 초록을 작성하기 위한 20가지 팁을 제공하고자 한다. "이전 및 이후 before and after" 사례를 이용하여 요점을 설명하였다.

표 9.1 3개의 주요 내과 학술대회에서 임상 소발표초록의 동료 검토에 활용되는 기준 예시

Society of General Internal Medicine (SGIM)[1]	Americal College of Physicians (ACP)[2]	Society of Hospital Medcine (SHM)[3]
• 교육적 가치: 중요한 진단, 신체검사나 관리상의 중요 경험을 제공 • 일반 내과와의 관련성: 내과의 임상실무, 지도/교육 또는 미래 연구에 미치는 영향을 기술하고 맥락에 맞는 증례를 배치 • 전반적인 평가: 전반적인 학문적 근거, 출판 가능성	• 의의: 초록의 결론이 질병의 경과에 대한 이해를 높이거나 질병 상태의 진단과 치료를 개선하는 데 있어서 얼마나 중요한가? 혹은 관련이 있는가? 내과 분야와 얼마나 관련되어 있는가? • 프레젠테이션: 초록에 제시된 아이디어는 얼마나 논리적인가? 프레젠테이션 방식이 얼마나 흥미로운가? 내용이 얼마나 분명하게 작성되었고 중요한 문법 오류가 없는가? • 방법: 해당되는 경우 명시된 목표에 대한 설계가 얼마나 적합하며, 적용된 분석기술이 얼마나 적절한가?	• 독창성 • 구성 • 글쓰기 역량 • 병원 의료와의 관련성

1단계: 그냥 이야기를 하라! 그런 다음 이 책의 조언들을 활용하여 수정하라

임상 소발표의 "증례 기술" 부분 원고 초안

경정맥 약물력 및 C형 간염 과거력이 있으며 A형 혈우병을 앓고 있는 34세 남성이 2개월 동안 발열, 숨가쁨, 운동할 때 호흡곤란, 복부팽만감이 악화되어 병원에 입원했다. 환자는 과거 2년 동안 분쇄한 딜라우디드를 6시간마다 주사했다. 신체검사에서 삼첨판역류TR, 경정맥팽창에 부합하는 4/6도 강도의 새로운 심잡음이 관찰되었으며, 중등도 압통을 동반한 상당한 복부긴장과 팽창, 간비종대, 정강이 중간의 점상 발진을 동반한 양측 하지의 압통과 부종이 있었다. 호흡음은 깨끗하였으며 림프절질환은 없었다. 기초 대사검사상 Na 139, K 4.7, Cl 100, Bicarb 25, BUN 8, Cr 0.98 및 glucose 107을 보였다. AST는 20 U/L, ALT는 32 U/L이었으며 CBC는 WBC 수치가 10, HCT가 32, PLT가 165로 나타났다. 프로트롬빈시간INR, 알부민 및 빌리루빈은 정상이었다. ESR은 24로 상승했다. 복부 초음파에서 간 18.7 cm, 비장 22.8 cm, 간 주변 미세복수minimal ascites 소견이 관찰되었으며, 간문맥 흐름은 간구심성 소견을 보였다. 경흉부심초음파검사TTE, 경식도심초음파검사TEE에서 판막 종괴나 증식물은 확인되지 않았으나, 중증의 우심실 수축기능 저하 및 우심실 확장 소견, 중증 삼첨판막 역류증, 중증 폐고혈압 소견이 관찰되었다.

임상 소발표 초록을 작성하는 데 있어 가장 큰 장벽은 프로젝트를 시작하는 것이다. 이 장애물을 극복하기 위해서 동료에게 흥미로운 증례에 대해 이야기하고 있다고 상상하며 일단 단어들을 종이에 나열하자. 투고하고자 하는 학술대회에 맞게 초록 주제를 정하되 아직 단어 제한이나 양식에 대해서 걱정하지 말고 단순하게 이야기 해보자(표 9.2). 위는 전형적인 임상 소발표 초록 "증례 기술" 부분의 첫 번째 초안으로 괜찮은 예시이다. 다음의 조언에 따라 이 초안을 훌륭한 투고 원고로 바꿀 수 있다.

표 9.2 세 가지 주요 내과 학술대회를 위한 임상 소발표초록 형식의 예시

Society of General Internal Medicine (SGIM) – 500단어	Americal College of Physicians (ACP) – 450단어	Society of Hospital Medicine (SHM) – 3,000단어
제목	제목	제목
학습 목표	서론	
증례 제시	증례 제시	증례 제시
고찰	고찰	고찰
		결론

조언 1

훌륭한 도입 문장을 작성하라: 환자와 주요 증상을 간결하게 소개한다. 주요 증상만을 포함하되, 만약 동일하게 중요한 두 증상이 있다면 둘 다 포함할 수 있다. 나머지 증상은 관련 증상과 함께 나열될 수 있으나 다음 문장에 나와야 한다. 도입 문장에 과거력을 포함해서는 안 된다.

원본

경정맥 약물력 및 C형 간염 과거력이 있으며 A형 혈우병을 앓고 있는 34세 남성이 지난 2개월 동안 발열, 숨 가쁨, 운동 시의 호흡곤란, 복부팽만감이 악화되어 병원에 입원했다.

수정본

34세 남성이 2개월 동안 점차 악화되는 숨 가쁨과 발열이 나타났다. 복부 팽창과 운동할 때 호흡곤란도 있었다. 과거력으로는 A형 혈우병, 경정맥 약물, C형 간염이 있다.

조언 2

학술적 글쓰기 스타일을 활용하라: 문법, 구문에 주의를 기울이고 일상어 문체를 사용하지 않도록 한다. 남자man 또는 여자women는 명사로 사

용하고, 남성male이나 여성female은 형용사로 사용한다(예: female carpenter). 비공식적 약어를 사용해서는 안 되며, 표준 약어도 처음 사용할 때는 자세히 풀어 서술해야 한다. 약물의 상품명을 사용하지 않는다. 예컨대 "딜라우디드dilaudid" 대신 "하이드로모르폰hydromorphone"을 사용하도록 한다.

조언 3

가능하면 주요 호소 증상의 이환 기간을 문장 끝에 덧붙이지 말고 호소 증상의 서술어에 포함시킨다.

조언 4

증례가 비정상적이거나 중요한 경우가 아니면 치료 장소는 생략한다. 예컨대, 이 환자가 "병원에서 입원"했다고 보고할 필요가 없다. 반면, '현장에서 소생술을 받고 보츠와나의 시골병원으로 이송되었다'처럼 환자 이야기에 필수 내용이라면 치료 장소를 언급한다.

원본
환자는 과거 2년 동안 딜라우디드dilaudid를 분쇄하여 6시간마다 주사했다.

수정본
증례 제시의 끝부분으로 이동: 추가 질문에서 그는 지난 2년 동안 하이드로모르폰Dilaudid을 분쇄하여 정맥 주사해 왔다는 사실을 밝혔다.

조언 5

소발표의 하이라이트를 너무 빨리 드러내지 않는 것이 좋다. 시작 부분에서 중요한 정보를 제시하지 않는 것이 때로는 솔직하지 않은 것처럼 보일 수 있다. 특히 그 정보가 실제 임상 대면 중 상대적으로 일찍 밝혀진 경우라면 더욱 그렇다. 그러나 증례의 병력을 변경하지 않는 한도에서 초록 뒷부분을 위해 수수께끼를 일부 유지하는 것이 바람직하다. 핵심 내용을 나중으로 미루는 것은 증례를 훨씬 교육적이고 흥미롭게 만든다. 따라서 독자는 환자를 진료할 때 하는 것처럼 증례에 대해 곰곰이 생각해볼 수 있다.

원본
신체 검사에서 삼첨판역류TR, 경정맥팽창JVD에 부합하는 4/6도 강도의 새로운 심잡음이 관찰되었으며, 중등도의 압통을 동반하는 상당한 복부긴장과 팽창, 간비종대, 정강이 중간의 점상 발진을 동반한 양측 하지의 압통과 부종이 있었다. 폐는 깨끗하였으며 림프절질환은 없었다.

수정본
환자는 들숨에 따라 강도가 증가하는 4/6도의 심첨부 이완기 심잡음이 있었고, 경정맥 비대는 없었다. 복부는 팽창해 있었고 간비종대 소견이 있었다. 하지 부종과 정강이의 점상 발진이 관찰되었다.

조언 6

의무기록 및 구두 증례 발표와는 달리 모든 부분의 제목을 알릴 필요는 없다. 명백한 내용을 언급하지 않음으로써 공간을 절약하도록 한다. 예컨대 "신체검사상"이라 쓸 필요가 없다. 오히려 별도의 소개 없이 주요 소견을 직접 보고한다.

조언 7

신체 검사 결과를 해석하지 말고 그대로 보고하자. "삼첨판역류TR"에 부합하는 4/6도 강도의 새로운 심잡음"보다는 "들숨에 따라 증가하는 범수축기 잡음"과 같이 실제로 관찰된 것을 기술한다.

조언 8

길고 연속적인 문장을 피하라. 저자들은 종종 엄격한 단어 제한 때문에 단어 수를 줄이고자 가능한 많은 정보를 한 문장으로 압축하려고 한다. 실제로 이런 전략은 분석하기 어려운 길고 연속적인 문장을 만든다. 훨씬 더 나은 방법은 하나 또는 두 개의 개념을 전달하는 짧은 문장을 작성하고 내용에서 사소한 모든 정보는 생략하는 것이다. 위의 사례 첫 번째 초안은 영어로 46단어(253자)이고 다시 작성된 원고도 영어로 46단어(단, 214자)이다. 여러 개념을 하나의 단락으로 묶는 것이 합리적인 경우 영어 문장에서는 세미콜론(;)을 활용한다.

조언 9

가장 관련성이 높은 검사 결과만을 포함하라: 이야기에서 나온 가능한 감별진단을 고려하여 관련성을 결정한다. 관련된 부정적인 소견도 포함한다. 활력 징후도 고려해야 하지만, 특이사항이 없다면 항상 포함시킬 필요는 없다.

조언 10

신체 검사를 객관적 데이터로 보고하라: 독자는 "놀랍게도"나 "본질적으로"와 같은 수식어를 이해할 수 없다. 당신에게 놀랄 만한 일이 다른 사람들에게는 아닐 수도 있다. 또한 이런 부사를 사용하면 임상 증례보고에 불필요한 극적 요소가 더해진다.

원본

기초대사검사상 Na 139, K 4.7, Cl 100, Bicarb 25, BUN 8, Cr 0.98 및 glucose 107을 보였다. AST는 20U/L, ALT는 32U/L이었으며 CBC는 WBC 수치가 10, HCT가 32, PLT가 165로 나타났다. 프로트롬빈시간INR, 알부민 및 빌리루빈은 정상이었다. ESR은 24로 상승했다.

수정본

기초대사검사, 전혈구검사, 프로트롬빈 시간, 알부민 및 빌리루빈 소견은 모두 정상이었다.

조언 11

소발표는 일일 업무보고가 아니다. 결과가 증례와 무관한 경우 초기 검사치를 제공할 필요가 없다. 정상인 경우 해당 정보는 간략하게 언급할 수 있다. 실험실 검사 수치를 제공해야 하는 경우 모든 약어를 풀어서 작성하고 모든 측정 관련 단위를 정의해야 한다. 이렇게 하면 일반적으로 단어 수가 크게 늘어난다. 따라서 저자는 어떤 실험실 검사 소견이 증례에 적합한지 냉정하게 판단해야 한다.

조언 12

우리는 검사가 특정한 결과를 "입증했다."고 말하는 것에 익숙하다. 그러나 실제로 검사가 무엇인가를 "입증하지는" 않는다. 결과를 밝혀낸 방법에 따라 소견을 설명하는 것이 좋다.

조언 13

불필요한 정보를 포함하지 마라: 연구를 처음 수행하였을 때 이상소견이 있으면 중요하든 그렇지 않든 그것을 모두 보고하고 싶어 한다. 그러나 임상 소발표 초록에서는 관련성이 없거나 중요하지 않은 실험실 검사 결과나 방사선 영상 판독 결과는 제외해야 한다. 예를 들어 "간 주변 미세복수"는 생략할 수 있다. 마찬가지로 측정치나 실험실 검사치를 최대한으로 정확하게 보고할 필요도 거의 없다. 결과에 있어 18.7이 19보다 더 유의하거나 덜 유의하다고 볼 수 없는 것처럼 숫자의 의미를 변경하지 않고 할 수 있는 반올림을 해야 한다.

조언 14

증례의 주제에 대해 중요한 데이터를 보고하라. 대다수 임상의가 기대하는 정보가 누락되었다면 해당 정보를 사용할 수 없는 이유를 간략하게 설명한다. 위의 증례에서는 가능하다면 추정 폐혈관압에 대해서 보고하는 것이 중요할 것이다.

2단계: 좋은 학습목표를 작성하라

학회 초록 형식이 학습 목표를 제출할 필요가 없더라도 증례에서 배울 수 있는 핵심 요점을 정하는 것은 중요하다. 그 내용이 토론의 주제가 될 것이며 구두발표 및 포스터발표에서 눈에 잘 띄게 제시되어야 한다.

조언 15

증례에서 배운 가장 중요한 교훈을 생각하자: 비슷한 임상 상황에 처했을 때 임상의가 무엇을 해야 하는지 생각해보라. 이 정보를 활용하여 학습 목표를 구성한다.

조언 16

증례를 읽은 후 독자가 할 일을 학습 목표로 작성한다. "이 증례보고를 읽은 후(이 포스터를 본 후 또는 이 발표를 들은 후) 독자는..."이라는 문장이 완성되도록 한다. 학습 목표를 구성할 때 "알아보자know" 또는 "이해하자understand"와 같은 단어 사용의 유혹을 피하라. 피동사passive verbs로 시작하는 목표는 능동동사active verbs로 시작하는 목표에 비해 설득력이 떨어지고 덜 흥미롭다. 표 9.3은 이 증례에 대한 확고한 학습목표와 설득력 없는 학습목표의 예를 제공한다.

표 9.3 확고한 학습목표 및 설득력 없는 학습 목표의 사례

강함	약함
1. 불순물로 인한 폐고혈압의 임상증상을 인지한다.	1. 불순물 유발성 폐고혈압의 임상양상을 검토한다.
2. 불순물 유발 폐고혈압의 병태생리를 설명한다.	2. 불순물 유발성 폐고혈압의 병태생리를 이해한다.
3. 대동맥 뿌리에서 역류하는 혈액의 흐름을 추적하여 체액 축적의 원인을 밝힌다.	3. 부종과 복수의 감별진단을 안다.

3단계: 요지가 분명한 고찰을 작성하라

고찰 원본

경정맥 약물남용으로 인한 심장합병증 중 특히 심내막염은 잘 알려져 있다. 의학 교육에서 덜 강조되는 것은 경정맥 약물 사용으로 인한 폐합병증이다. 이와 같은 합병증의 대부분은 간질성 폐질환처럼 비특이적 증상으로 발현된다. 경정맥 약물 사용자의 경우 폐 미세혈관은 주입된 물질입자 여과과정에서 색전형성이 쉽게 된다. 이는 약물의 과립 입자나 활석 및 전분 같은 불순물이 약물과 함께 주입되어 만성 육아종성 염증성 병변의 병소 역할을 할 때 발생할 수 있다. 실질 미세혈관계parenchymal microvasculature에서 이어지는 섬유성 폐색fibrotic obliteration은 혈전성 폐고혈압angiothrombotic pulmonary hypertension을 일으키고 최종적으로 우심부전을 동반한 폐심장증cor pulmonale을 초래한다. 질병의 중증도는 주입된 물질 양과 직접적 관련이 있다. 전형적 영상 소견은 단독 또는 폐심장증 동반 증거가 있는 미만성 대칭 분포가 있는 간질섬유증을 보인다. 중첩된 세균감염은 종종 진단을 복잡하게 만든다.

임상의는 호흡곤란이 있는 경정맥 약물 사용자에 대해 감염 여부와 상관없이 항상 섬유증과 같은 폐합병증을 살펴봐야 한다.

고찰 수정본

부종과 복수는 내과 의사가 일상적으로 접하는 문제이다. 이런 흔한 문제의 드문 원인을 식별할 때 체액저류의 원인을 판단하는 체계적인 접근 방식은 중요하다. 대동맥근부에서 체액저류 부위까지의 혈류 추적이 한 가지 방법이다. 체액이 더 이상 저류되지 않는 지점이 병소다. 복수가 있던 이 증례의 환자에게 폐고혈압과 폐섬유증이 정상 좌심 소견과 함께 나타났다. 따라서 병인은 폐고혈압을 유발하는 전모세혈관precapillary폐색과 폐섬유증이다.

폐의 미세혈관 구조는 정맥 내 약물의 큰 입자를 걸러내는 1차 필터 역할을 한다. 주입된 약물과 전분이나 활석 같은 이물질로 인한 미세혈관들의 색전성 폐색embolic occlusion은 만성 육아종성 염증성 병변의 병소 역할을 한다. 섬유증에 의한 폐 미세혈관계의 진행성 폐색은 혈전성 폐고혈압을 야기하며 우심부전을 초래한다. 질병 중증도는 주입된 물질 양과 직접적인 관련이 있다. 병리소견은 폐 중부와 상부에서 두드러진다.

약물의 사용이 증가함에 따라 의사는 우심부전 원인이 되는 불순물로 인한 폐고혈압 감별에 능숙해야 한다.

조언 17

청중을 위하여 맨 처음 시작할 때부터 증례의 적정성을 확고하게 설정하라. 증례보고 저자는 이미 자신의 증례가 중요하며 공유되어야 한다는 생각이 강하다. 그 이유에 대해 자문해보고 고찰 시작부분에 그 답변을 명시적으로 언급하라. 초록 심사자는 가장 알맞은 증례들을 찾고 있으며, 학술대회 참석자들은 자신의 임상 진료에 중요한 증례들에 가장 적극적으로 참여할 것이다.

조언 18

사전에 확정된 교훈을 다룬다. 난해한 병태생리에 대한 고찰 및 심층적 문헌고찰은 너무 길뿐 아니라, 대부분 바쁜 독자와 심사자의 관심을 끌지 못할 것이다.

조언 19

중요한 개념을 군더더기 없이 간략하게 설명하자. 증례 요약을 동료에게 설명할 수 있는 1분이 주어졌다고 상상해보라. "경정맥 약물 사용자의 경우 폐 미세혈관계는 주입된 입자성 물질 여과로 발생하는 색전 형성에 특히 취약하다."보다는 "폐의 미세혈관 구조는 정맥 내 약물의 큰 입자를 걸러내는 1차 필터 역할을 한다."라고 설명한다.

조언 20

"이 이야기가 주는 교훈"으로 마무리하며 증례의 적절성과 중요한 교육 요점을 강조한다.

결론

임상 소발표 투고는 소중한 경험이 될 수 있다. 전공의와 교수들에게는 학술 프로젝트에서 긴밀하게 협력할 수 있는 이상적인 기회이다. 많은 학술대회들이 우수한 임상 소발표의 구두 또는 포스터 발표에 대해 시상함으로써 동료들과 지도자에게 인정받을 수 있는 길을 제공한다. 의학 연구자들은 초록 발표시 여비를 지원받을 수 있으며, 이력을 추가할 수 있다. 임상 소발표 초록을 작성하여 투고하는 것은 완전한 증례보고 출판의 훌륭한 첫 단계이다. 앞선 조언에 따라 간결하게 축약된 증례보고로 작성 프로젝트를 시작하고 후속원고를 위한 준비를 하자. 제7장, 8장과 10장은 출판을 위한 완전한 증례보고 작성에 대한 추가적인 지침을 제공하고 있다.

참고문헌

1. Newsom J, Estrada CA, Panisko D, Willett L. Selecting the best clinical vignettes for academic meetings: should the scoring tool criteria be modified? J Gen Intern Med. 2012;27(2):202–6.
2. Guidelines for Submissions of Abstracts [Website]. American College of Physicians. Available from: https://www.acponline.org/embership/residents/competitions-awards/acp-nationalabstract-competition. Accessed 2 May 2016.
3. Guidelines for Submissions of Abstracts [Website]. Society of Hospital Medicine. Available from: http://www.hospitalmedicine.org/Web/Education/Academic___Research/Academic_Research_Community/Abstract_Submission.aspx. Accessed 2 May 2016.

제 10 장

임상문제해결(Clinical Problem Solving) 원고 작성법

Gurpreet Dhaliwal and Gabrielle N. Berger

도입

임상문제해결clinical problem solving, CPS 연습은 숙련된 임상의가 애매한 진단에 접근해 가는 과정에 초점을 맞추어 증례 전개에 따른 사고과정 및 추론을 강조하는 방식으로 구성된다. 임상문제해결 원고는 전통적 증례보고의 변형으로 저자가 난해한 임상 문제를 더 자세히 탐구하고 광범위한 교훈을 제시할 수 있다. 임상문제해결 원고를 작성하기 위해서는 종래의 증례보고나 임상 영상보다 더 많은 시간과 에너지를 투자해야 한다. 임상문제해결 프로젝트는 저자의 임상추론에 대한 이해를 제고하는 동시에 의학지식을 발전시킨다. 임상문제해결 원고는 종종 큰 영향력을 가진 학술지에 출판된다. 이 장은 임상문제해결 원고 작성을 성공적으로 하기 위한 단계별 가이드를 보여 준다.

증례 선택

임상문제해결 원고에 적합한 증례의 특성을 약어TEACH로 요약할 수 있다(Sanjay Saint MD MPH 제공):

- **T**eaching points can be made (교훈이 있어야 한다.)
- **E**nigma–the diagnosis must be a challenge (수수께끼–진단은 도전의식을 자극해야 한다.)
- **A**nswer must be established by a gold standard test (정답은 최적의 표준검사를 바탕으로 설정되어야 한다.)
- **C**ool (interesting) case – readers should say "wow" at the end [멋진(흥미로운) 증례 – 독자가 감탄사를 내놓을 만한 것이어야 한다.]
- **H**onest – authors cannot change the facts of the case (정직 – 저자는 증례의 사실들을 변경할 수 없다.)

이 중에서 가장 중요한 기준은 전문 토론자가 일반 청중과 관련이 있는 교훈을 도출할 수 있어야 한다는 것이다. 만약 이 부분이 결여되어 있다면 다른 요소로 만회할 수 없다.

기획 단계

일단 제1저자가 임상 증례를 고르면 임상문제해결 증례를 공동 저술한 적이 있는 지도교수에게 프로젝트에 참여해 달라고 요청하는 것이 중요하다. 장담할 수 없지만 적극적인 공동연구자 및 공저자가 되어줄 것이다. 최초의 진료팀이나 협진 교수가 이런 멘토가 되는 경우는 드물다. 증례 자체의 세부사항이 아닌 임상문제해결 증례 작성 과정을 이해하는 사람을 찾아야 한다.

저자는 증례 발표에 집중하기 전 논문의 고찰 부분에 대해 숙고해야 한다. 증례를 본 청중을 어떻게 참여시킬 것인가? 최종 진단 외에 어떤 주제를 강조할 것인가? 여기에 임상추론, 의료관행 변화, 또는 원칙 재확인(예: 사회력의 중요성)에 대한 주제들이 포함될 수 있다. 독자의 관심을 끌 수 있는 설명이 없으면 논의 부분이 아무런 호응을 얻지 못할 수 있다. 대다수 독자들은 소수만 이해할 수 있는 희귀질환의 교훈에 흥미가 없다.

저자는 증례가 어떤 형태로든 이미 출판되었는지, 또는 다른 업체(예: 전문 서비스)를 통해 그렇게 될 것인지 확인해야 한다. 대부분의 학술지가 의학 학술대회 포스터, 초록, 구두발표를 통해 내용이 사전 공개되었다고 해서 출판을 거절하지 않지만, 그 발표 내용을 감사의 말acknowledgment 부분에 명시해야 한다. 증례가 다른 인쇄물이나 전자 출판물 형식으로 배포된 경우 중복 출판 정책 때문에 임상문제해결 원고 출판이 어려워질 수 있다. 이 문제는 출판하려는 학술지의 편집자와 프로젝트를 시작하기 전에 논의하는 것이 가장 좋다.

학술지에서는 독자의 경험 및 논문의 시각적 표현을 향상시키기 위해 영상을 포함할 것을 권장한다. 다루고자 하는 핵심 데이터를 어떤 영상이 담고 있는지에 대해 생각해보자. 통상적으로는 발진, 수술 표본, 조직 병리표본, 방사선 및 심전도 결과 등이 해당된다. 이런 시각적 표현은 청중의 관심을 끌고 증례에 생명력을 불어넣어 원고의 질을 크게 향상시킨다. 영상을 입수하거나 해석하기 위해서 동료의 도움이 필요할 수 있겠지만, 저자 포함을 전제로 한 도움 제공에는 주의해야 한다. 이런 동료의 지원은 감사의 말acknowledgment에 들어가야 할 이유이기는 하나 저자됨의 명분은 될 수 없다.

미리 목표 학술지를 선택하고 저자 안내사항을 검토한다. 임상문제해결 원고를 정기적으로 출판하는 학술지로는 New England Journal of

Medicine[NEJM], Journal of General Internal Medicine[JGIM], Journal of Hospital Medicine[JHM] 등이 있다. 학술지별 안내에는 저자 지침, 양식, 단어 제한에 대한 중요한 정보가 있다. 저자는 증례, 진단 및 예상되는 교훈에 대해 간략하게 요약하여 목표 학술지 주제 편집자에게 투고 전 질의를 보내야 한다. 편집자는 투고를 독려할 수도 있고 혹은 증례가 적절하지 않다고 조언할 수도 있다(예: 적당하지 않은 임상적 난제이거나 이미 출판 진행 중인 유사 증례). 이 질의를 통해 저자는 귀중한 시간을 절약하고 출판 가능성이 더 높은 다른 학술지로 방향을 전환할 수 있다.

마지막으로 계획 단계에서 공저자(지도교수는 제외) 참여 요청을 하지 않도록 한다. 주요 저자는 결국 공동 저자로 초대되지만 한두 사람이 참여한 후에는 초기 단계에서 추가 작업이 필요할 일은 거의 없다. 저자로 인정할 과업이 없는데도 동료를 참여시키는 것은 바람직하지 않다. 경험에 따르면 확실히 논문의 완성 가능성이 초기 저자 숫자와는 반비례한다. 더 상세한 내용은 아래 저자 지침을 참조하도록 하자.

증례 계획서 구성

저자는 교수진 멘토 선택, 핵심 교훈과 주제 확정, 목표 학술지 확인 및 영상 수집 등을 진행하고 나면 증례 계획서를 만들어야 한다.

증례 계획서(표 10.1의 정의 참조)는 토론자들에게 제공하는 텍스트와 영상이다. 작성이 완료된 계획서는 6개에서 8개 부분(세부목차)으로 나누어 정리한다. 각 세부목차에서 독자가 이전 감별진단을 변경할 수 있을 만큼 충분한 정보를 제공해야 한다. 첫 세부목차는 일반적으로 주요 호소증상과 현재 병력으로 시작한다. 두 번째 세부목차는 대개 과거력, 건강 관련 행태와 연관된 약물을 제시한다. 이어지는 세부목차에 신체검사, 실험실검사와 영상검사, 임상 경과 및 추가 경과, 최종적인 임상 사건, 최적표준 검사결과 등을 차례로 요약한다.

표 10.1 이 장에서 사용된 용어 설명

용어	정의
Case protocol (증례 계획서)	토론자에게 제시하는 증례 전체 설명
Aliquout (세부목차)	증례 계획서 일부분. 증례 계획서는 작성 후 세부목차에 따라 나뉘어 토론자에게 순차적으로 제시된다. 일반적으로 6–8개 세부목차로 나뉜다.
Discussant response (토론자 응답)	이전 세부목차에 제시된 정보에 대한 토론자의 분석
Case discussion (증례 고찰)	저자와 토론자의 역할 교체. 증례 고찰은 세부목차와 이어지는 토론자 반응으로 구성된다.
Commentary (해설)	원고에서 증례를 요약하고 임상적 난제를 살펴보며 관련 질병 및 임상추론 원칙을 검토하는 부분
Clinical reasoning analysis (임상추론분석)	일부 학술지(예: Journal of General Internal Medicine)에서 요구하는 부분으로 증례 고찰에 통합되어 있으며 대부분 토론자 응답에 따른다. 임상추론 분석 부분에서는 진단추론과정에 대한 해설을 제공한다.
Teaching points (교훈)	일부 학술지(예:Journal of Hospital Medicine)에서 요구하는 부분으로 원고 끝에 3–5개의 글머리 기호가 붙은 임상적 교훈으로 구성된다.

계획서를 토론자에게 보내기 전 제1저자는 계획서의 명확함과 정확함을 지도교수와 함께 검토하고 편집해야 한다. 증례는 과학 기록의 일부가 될 것이므로 증례의 의학적 세부 정보는 정확해야 한다.

증례 고찰의 개요 구성

증례 계획서 작성을 마친 후 제1저자 및 지도교수는 공저자로 요청할 임상 토론자를 확정해야 한다. 이 사람은 증례에 대해 미리 알아서는 안 된다. 그 증례의 정보를 미리 알면 증례 고찰의 진실성을 떨어뜨리고, 즉석 사고에 입각한 훈련 의미도 반감된다. 최종 진단의 전문가가 아닌 광범위한 의학적 주제에 대해서 논의할 수 있는 임상 의사를 선택한다. 증례고찰은 진단 자체가 목적이 아니고 최종 진단을 향해 가는 교육적 토론 과정 역할을 한다. 초대된 토론자는 적시에 적절하게 반응해야 하며 프로젝트 수행 실적이 좋다는 평판이 있어야 한다. 제1저자는 토론자를 청할 때 각 세부목차에 대한 토론자의 응답에 소요될 시간(예: 2주 이내)을 고지할 수 있다.

토론자에게 첫 번째 세부목차를 보낸다. 토론자의 응답은 2-4개 문단으로 구성되어 있어야 한다. 토론자 응답 다음 두 번째 세부목차(추가적인 세부목차 없이)를 붙여 넣고 업데이트된 문서를 토론자에게 회신한다. 모든 후속 세부목차에 대하여 이 과정을 반복한다. 새로운 각 세부목차에서 제1저자는 토론자에게 "이 부분의 초기 감별진단에 대하여 자세히 설명해 주십시오." 또는 "가장 걱정이 되는 상태는 무엇입니까?"와 같이 특정한 문제 해결을 지시할 수 있다. 단, 힌트를 제공해서는 안 된다.

끝에서 두 번째 세부목차를 제시할 때 토론자에게 이 상황을 알려서 토론자가 주요 진단에 전념할 수 있도록 한다. 진단이 공개된 후 최종 세부목차에 대한 토론자 응답은 선택사항이다. 마지막 결과 문서는 증례 고찰의 첫 번째 초안이 된다.

원고 작성

제1저자(공동 저자의 도움을 받는 경우가 많음)는 사례 토론의 첫 번째 초안을 편집하여 토론자의 임상문제해결 기술을 강조하면서 한 부분에서 다음 부분으로 쉽게 넘어갈 수 있는 간결한 설명을 만들어야 한다. 분명한 교훈을 담은 간단명료한 증례 제시를 완성하는 데 도움이 된다면 편집자는 두 개의 세부목차와 그에 따르는 토론자 응답을 합칠 수도 있다(New England Journal of Medicine에 출판된 임상문제해결 원고의 증례 고찰에서 발췌한 내용은 아래의 예시를 참조).[1]

증례 고찰이 편집되고 나면 제1저자가 해설 부분 초안을 작성(일반적으로 500–700단어)한다. 증례를 간단히 요약하고 관련된 질병 및 난제를 검토하여 종합적인 주제와 요점을 강조한다. 지도교수의 원고 검토 후, 임상고찰 및 해설을 재검토하고 교훈을 추가할 수 있도록 그 질병이나 분야의 전문가를 초빙하는 것이 도움이 되기도 한다. 이들은 대체로 중간 저자 middle author를 맡게 되며, 편집자와 심사자로부터 전문적인 수준의 질문이 들어올 때 소중한 도움이 될 것이다.

증례토론 발췌

다음 내용은 임상문제해결의 첫 번째 세부목차와 이에 대한 토론자의 응답이다. 세부목차에서 토론자에게 환자의 초기 접근에 대한 충분한 데이터를 제공하되 독자나 토론자가 감당할 수 없는 너무 많은 데이터가 주어지지 않도록 간결해야 한다.

22세 여성이 4주 동안 기침, 진행되는 호흡곤란, 주관적인 열감, 불쾌감이 있어 응급실에 내원했다. 환자는 입원 당일, 쉬지 않고는 한 블럭 이상의 거리를 걸을 수 없다고 하였다. 양쪽 다리에 새롭게 부종이 생겼다고 호소했다.

이 환자의 진행성 호흡곤란은 체액증가나 원발성 폐질환의 진행, 또는 빈혈에 의한 것일 수 있다. 호흡곤란과 부종의 조합은 일반적으로 심부전이나 간부전,

신부전이 원인이며 체액증가로 인한 과부하가 있음을 시사한다. 증례에서 보고된 문제의 기간과 전신증상과의 연관성은 염증성, 전염성 또는 악성질환 때문일 것이라는 것을 암시한다.

다음 내용은 임상문제해결 두 번째 세부목차와 이에 대한 토론자의 응답이다. 이 세부목차는 환자의 현재 증상 및 병력에 대한 추가 정보를 제공한다. 이제 토론자는 환자의 위험요인, 임상 관련성에 대한 간략한 설명과 함께 자신의 임상추론을 뒷받침할 보다 상세한 감별진단을 수립한다.

환자는 손과 무릎에 관절통이 있는데, 입원 3개월 전에 시작되었고 아침에 악화된다고 했다. 10세 이후부터 계속된 편두통과 무증상성 2형 단순포진 바이러스 감염 과거력이 있었다. 3년 전 임신 40주차에 건강한 아이를 질식분만으로 출산하였으며 다른 임신력은 없었다. 약물 병력도 없었고, 엘살바도르 출신으로 5년 전 미국으로 이주했으나 최근의 여행경력은 없었다. 환자는 요식업에 종사하고 있으며, 흡연력이나 불법 마약 투약력이 없고 음주도 거의 하지 않았다. 엘살바도르에 있는 자매 한 명이 원인을 알 수 없는 신장질환 진단을 받은 가족력이 있다. 반상 탈모patch alopecia, 아프타성 궤양, 안구건조, 구강건조, 발진이나 레이노 현상 등은 관찰되지 않았다.

젊은 여성에서 아급성의 대칭성 관절통은 류마티스 관절염으로 설명할 수 있으나, 초기 경과에서 폐나 심장 증상이 심하게 나타나는 일은 드물다. 관절통 및 체액증가는 신장 관련 전신성 홍반 루푸스SLE로 설명할 수 있다. 사르코이드증sarcoidosis은 폐나 심장 침습을 동반하는 관절통을 유발할 수 있다. 피부근염dermatomyositis이나 다발근염 환자에게서 관절염을 수반한 조기 간질성 폐질환이 발현될 수 있다. 아급성 세균성 심내막염도 이런 증상군을 설명할 수 있다. 환자가 중앙아메리카 출신이라는 점은 Chagas 심근병증의 가능성을 높인다. 고려해야 할 다른 감염원으로는 결핵, 히스토플라스마증histoplasmosis, 파라콕시디오이드진균증paracoccidioidomycosis과 같은 풍토성 진균 감염이 있다. 여동생에게 신장질환 병력이 있다는 점으로 미루어 관절통을 유발하지는 않지만 알포트 병Alport's disease이나 다낭성 신장질환과 같은 유전성 신장질환이 환자와 관련성이 있는지 의심해 볼 수 있다. 이런 유전성 신장질환은 신장에 영향을 미치는 다기관 침범 전신 질환(예: 전신성 홍반성 루푸스)에 대한 공통된 원인이 될 수도 있다. 갑상선 질환(기능항진 또는 기능저하)도 증상발현에 조금이라도 원인이 되는지 고려해야 한다.

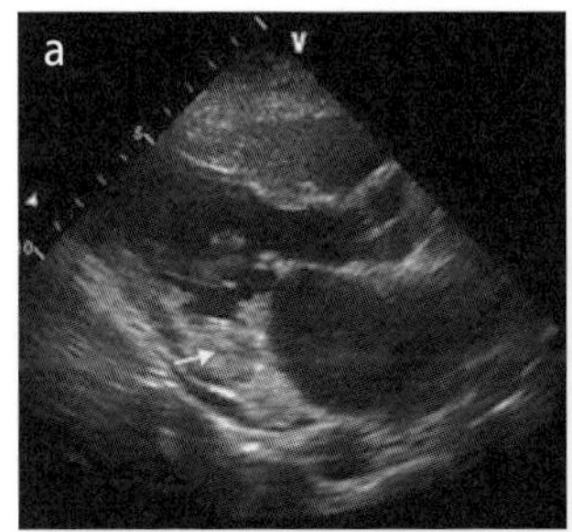

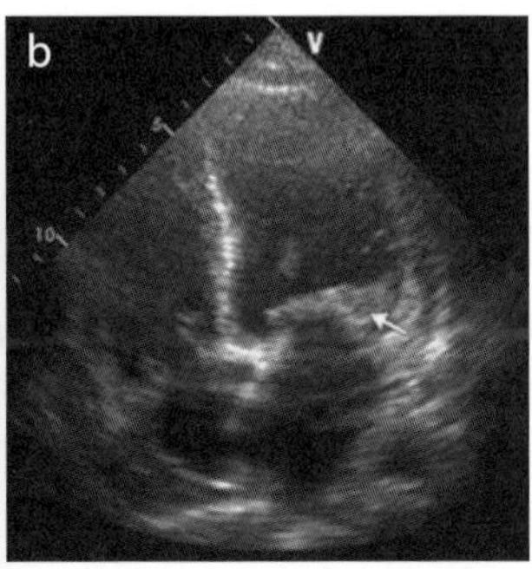

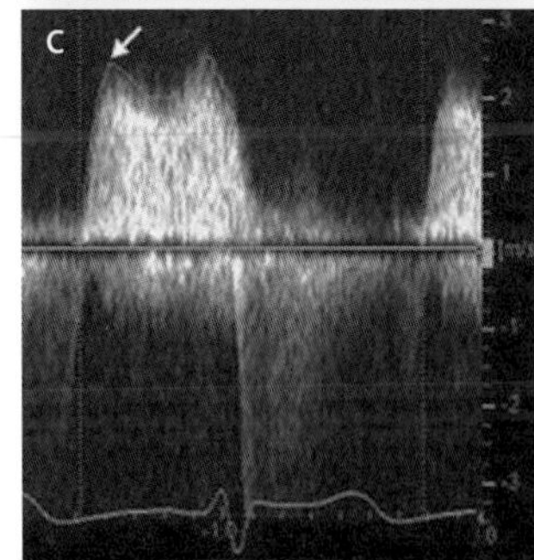

그림 10.1 증상 발현 시점의 흉부초음파 검사 소견. 흉골좌연단축상 a사진은 좌심실 후벽에 침투하여 승모판막 후엽(화살표)을 포위하고 있는 연부조직 복합 종괴를 보여준다. 심첨 4실관찰상 b사진은 연부조직 종괴(화살표)에 의한 승모판막 후엽의 포획 및 승모판막 전엽의 침습을 보여준다. c사진(화살표)에 표시된 연속파 도플러 영상에서 16 mmHg의 평균 이완기 승모판압 압력차는 중증 승모판 협착에 부합한다.

다음은 여덟 번째 세부목차 및 이에 대한 토론자의 응답과 첨부영상이다. 이 시점에서 토론자는 매우 구체적인 가설을 상세하게 평가하고 있다.

경흉부 심초음파에서는 승모판 후엽을 둘러싸고 있는 크고 불규칙한 모양의 종괴와 이로 인한 심첨판 움직임의 뚜렷한 감소가 관찰되었다(그림 10.1 : NEJM.org에서 이 논문의 전문과 함께 열람 가능). 심첨판은 중증의 비후 소견을 보였고, 평균 이완기 승모판 압력차는 16 mmHg이다. 폐동맥 수축기 압력은 67 mmHg였다. 종괴는 좌심실의 기저부 후하벽과 좌심방의 후벽쪽으로 돌출되어 있다. 좌심실 기능과 우심실 기능은 정상이었다. 경식도 초음파 및 심장 자기공명영상(그림 10.2)에서 이와 같은 소견들이 확인되었고, 종양이 승모판 전엽 및 힘줄끈으로 침습하고 방실간구로 광범위하게 확산되었음을 보여주었다.

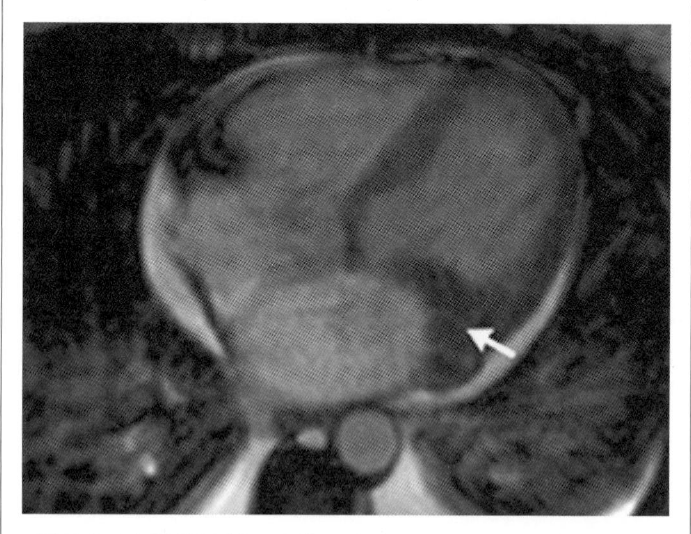

그림 10.2 자기공명영상 결과. 가돌리늄 조영증강 없이 얻은 심장 단면영상에서 좌심방 및 좌심실로 돌출되는 종괴가 관찰된다(화살표).

이 침윤성 대형 종괴는 판막 침습, 혈행역학적 폐색 또는 둘 모두에 의해 심부전을 유발할 수 있다. 그리고 색전현상(예: 선상출혈)의 원인일 수도 있다. 승모판을 포위하여 심한 승모판 협착을 유발하므로 심첨부 이완기 심잡음과 운동 시의 호흡곤란을 둘 다 설명할 수 있다.

심방점액종은 가장 흔한 심장내 종양으로 종종 색전과 심각한 면역학적 후유증을 유발한다. 그러나 점액종은 통상 종양에 목이 있으며 움직임이 있다. 이 증례에서 침습 경향과 붙어있는 경향은 횡문근육종, 혈관근육종 같은 원발성 심장종양이나 전이에서의 특성이다. 환자의 소견은 일부 전신성 홍반성 루푸스를 암시하나, 대형 종괴는 Libman-Sacks 심내막염의 전형적 소견은 아니다. 환자가 요식업에 종사하므로 브루셀라증이나 Q-열 같은 혈액배양 음성 심내막염의 가능성이 있을 수도 있는데 열과 같은 감염의 징후가 없다. 항인지질항체증후군이나 신증후군으로 인한 비종양성 혈전을 고려해볼 수도 있으나 판막을 둘러싸고 침습하는 것은 혈전의 특성이 아니다.

임상추론을 더 강조하는 학술지

Journal of General Internal Medicine의 "Exercises in Clinical Reasoning" 시리즈JGIM ECR에는 특징적인 두 가지 요구사항이 있다. 이 학술지에서는 토론자 반응에 이어 임상추론 분석을 요구하므로, 증례고찰은 부분 증례 –증례 토론– 임상추론 분석을 반복하게 된다. 종종 임상추론에 대한 전문지식을 갖춘 세 번째 저자가 필요하며 대개 논문의 중간 저자가 된다. 이 부분은 일반적으로 증례 토론이 완료된 후 구성되는데 그 이유는 임상추론분석 작성자가 어떤 주제가 강조되어야 하는지를 결정하기 위해 증례 전체와 토론자 의견을 보는 것이 허락되어 있기 때문이다. JGIM ECR은 주석 부분이 임상추론분석에 전적으로 초점을 맞추고 있다는 점에서 다른 학술지와 다르다. 원고는 글머리 기호가 붙은 형태로 교훈적인 의학 사실들을 배치하면서 마무리 된다(Journal of General Internal Medicine에서 발행한 Exercises in Clinical Reasoning 논문의 발췌 내용은 하단 사례 참조).[2]

다음 내용은 Journal of General Internal Medicine의 Exercise in Clinical Reasoning 논문의 첫 번째 세부목차와 토론자 반응 및 임상추론 분석 부분이다. NEJM 양식에서와 마찬가지로 첫 세부목차에서는 토론자가 환자에 대한 초기 접근을 수립해 나갈 수 있게 한다. 진단추론 부분은 토론자의 사고 과정을 설명하고 임상추론 개념을 가르치는 추가적인 설명을 제공한다.

임상정보: 43세 멕시코 여성이 복통으로 응급실에 내원했다. 증상은 1주일 전 38.9°C의 발열, 간헐적 전두통과 함께 시작되었고 광공포증이나 기타 신경학적 증상은 동반하지 않았다. 환자는 발병 2일 전 끊임없이 날카로우며 명치 중간, 우상복부 및 좌측 옆구리로 방사되는 좌상복부 통증을 느끼기 시작했다. 식후 통증의 변화는 없었으나 간헐적인 구역과 구토가 있었으며, 토혈이나 배뇨장애 및 설사는 없었다고 했다. 최종 월경일은 3주 전이었고 최근의 성적 접촉은 없었다. 환자는 하루 전 다른 응급실에서 담석으로 진단받고 경구 메토클로프라미드 및 하이드로코돈-아세트아미노펜을 처방받았다.

임상의: 좌상복부 통증은 일반적으로 위염, 대장염(비장굴곡), 췌장염, 신우신염, 신결석, 비장의 비대나 경색, 좌하엽 폐렴으로 발생한다. 간헐적 두통은 종종 전신질환을 동반하므로 발열증상이 수막염, 뇌염 또는 뇌농양과 같은 두개내 감염 진행과 관련이 있는지 확인하는 것이 과제이다. 두통 중증도와 지속기간, 두통 관련 과거력이 없고, 뇌수막 자극징후의 존재 및 신경학적 이상은 중추신경계 영상검사 및 뇌척수액 검사의 흔한 적응증이 된다.

진단추론: 대표 문제 표현은 한 문장 요약으로 증례의 핵심 특징을 자세히 설명한다. 문제 표현은 타당한 진단 가설을 이끌어내고, 추가 병력 요소, 신체검사 소견 및 진단 테스트에 대한 탐구로 이어진다. 복잡한 증례에서는 종종 하나 이상의 문제 표현을 고려해야 한다. 여기에서는 다음 두 가지 문제 표현이 다루어지고 있다: (1) 좌하복부 복통, 메스꺼움 및 구토를 수반하는 아급성 열병과 두통이 있는 43세 가임기 여성 (2) 날카롭고 끊임없는 좌하복부 통증, 메스꺼움, 구토가 급성으로 발병한 가임기 43세 여성. 임상의는 첫 번째 문제표현을 활용하여 중증의 두개내 감염 및 종괴성 병변을 강조할 것이다. 두 번째 문제표

현에서 좌하복부 문제는 추가적인 데이터 수집 방향성을 알려주는 핵심 소견이 된다. “예상보다 빠른 조기 문제해결”을 피하기 위해서는 경합하는 문제표현을 탐색하는 것이 도움이 된다. 섣불리 진단을 내리는 조기종료는 처음 잠정진단 후 다른 합리적인 진단을 고려하지 못했다는 것이며 이는 임상의가 저지르는 가장 흔한 임상추론 오류 중 하나이다.

임상 교훈 부분에서는 증례의 핵심 요점을 요약하며 논문을 끝맺는다. 예시에서는 특정 질병의 경과(브루셀라증), 감별진단(육아종성 간염), 사회력의 중요성에 대한 교훈을 포함하고 있다.

임상적 교훈

1. 인간 브루셀라증은 전 세계적으로 매우 흔한 질병이다. melitensis, suis, abortus, canis의 네 가지 브루셀라 종은 인간에게 여러 종류의 질병을 일으키며 B. melitensis가 가장 흔하다.
2. 브루셀라증은 일반적으로 감염된 동물(소, 양, 염소 또는 돼지)과의 직접 접촉이나 살균되지 않은 유제품 섭취에 의해 전염된다. 잠복기는 수일에서 수개월이다.
3. 브루셀라증은 모든 기관을 침범할 수 있는데, 대개 변동이 심한 발열, 야간 발한, 권태감, 체중 감소 및 관절통 같은 비특이적 증상이 나타난다. 수막염, 관절염, 심내막염 또는 부고환염을 포함한 국소 브루셀라 증후군으로 나타날 수도 있다.
4. 육아종성 간염은 감염(예: 결핵, 히스토플라스마증, 콕시디오이데스진균증, Q-열, 브루셀라증, 매독, 효모균증, 나병), 약물, 악성 종양(예: 림프종, 신세포암종), 자가면역질환(예: 유육종증, 류마티스성 다발성 근육통, 일차성 담즙성 담관염)이 원인이다. 20% 정도는 원인 없이 발생한다.
5. 사회력은 종종 열병에 있어서, 특히 산업화된 지역을 벗어나서 여행하는 환자에게 핵심적인 감별 소견이 된다. 이들은 평상시에 생각하기 어려운 감염에 자주 노출된다.

최종단계

출판을 위한 원고 준비의 마지막 몇 단계는 다음과 같다.

- 이미지 서식 지정(필요한 경우 화살표 추가)
- 이미지 범례 작성
- 교훈 부분 작성
- 참고사항 추가
- 논제 결정

가장 좋은 제목은 교훈, 증례의 전개방식 또는 최종 진단에 대하여 기발하면서도 날카롭지 않게 언급한다. 예를 들자면, 일반적으로 환자가 45°로 기대 누운 상태에서는 경정맥압의 극단적 상승을 인지하기 어려운 탓에 협착성 심낭염을 발견하지 못했던 증례가 있다. 이 증례의 제목으로 "직각(The Right Angle)"이 선택되었다. 90° 직각(앉은 자세)은 진단을 감지할 수 있게 하는 자세의 표현이다.

간결하고 매력적인 원고를 만들기 위해 전체 저자들을 여러 차례 편집에 참여시키고, 원고 제출 전 저자 지침을 주의 깊게 재차 확인한다. 원고가 즉시 거절되는 흔한 이유는 저자지침을 따르지 않았기 때문이다.

저자 자격(Autoship) 지침

임상문제해결 원고 저자 최대 인원은 일반적으로 5-6명이다. 저자 자격에 대한 표준 접근방식은 없지만 다음의 원칙을 기본으로 하여 고려한다.

제1저자first author: 프로젝트를 시작한 사람이며 전체 진행과정의 리더이다. 제1저자는 대부분의 증례 계획서 및 해설 일부분 초안을 작성하고, 다른 공저자의 기여도를 조정하며, 투고 과정과 학술지에 대한 교신저자 역할을 맡는다.

중간 저자middle author: 이 공동 연구자들은 기여한 작업량과 프로젝트 참여 시기에 따라 내림차순으로 배열한다. 중간 저자는 일반적으로 토론자, 임상추론 전문가(누군가 참여하고 있다면) 및 특정 질병 혹은 분야 전문가를 포함한다.

마지막 저자final author: 마지막 저자는 프로젝트를 총괄하여 조정한다. 보통 제1저자가 다른 공동연구자를 섭외하고 증례고찰과 주석을 편집하는 것을 도우며, 최종 편집 및 제출 절차에 관한 실제 정보를 제공하는 등 프로젝트 전반에 걸쳐 다양하게 기여하는 사람이다.

저자 자격이 없는 기여의 유형도 알아두는 것이 중요하다.

- “진단을 했다.”
- “환자를 진료했다.”
- “진료 팀에 속했다.”
- “자문위원이었다.”
- “담당의였다.”
- “주치의였다.”
- “영상을 판독했다.”

환자 진료와 학문적 기여는 다르다는 것이 중요한 원칙이다. 저자 자격은 원고 작성에 실질적으로 기여한 사람들을 위한 것이다.

결론

증례를 의무기록에서 임상문제해결 원고로 만들어 가는 데에는 끈기, 리더십, 협력이 필요하다. 우리가 매일 진료와 교육을 통해 능력을 기르기 위해 노력하는 것처럼 이 과정은 의학지식과 임상추론을 함께 향상시킬 수 있는 가치 있는 기회를 제공한다.

참고문헌

1. Tarter L, Yazdany J, Moyers B, Barnett C, Dhaliwal G. The Heart of the Matter. N Engl J Med. 2013;368(10):944–50. doi: 10.1056/ NEJMcps1114207.
2. Keenan CR, Dhaliwal G, Henderson MC, Bowen JL. A 43–yearold woman with abdominal pain and fever. J Gen Intern Med. 2010;25(8):874–7. doi: 10.1007/s11606–010–1372–3.

제 11 장

증례보고 원고 제출

Gabrielle N. Berger and Somnath Mookherjee

도입

증례보고를 출판하기 위해서는 적절한 학술지를 신중하게 선택해야 한다. 역사적으로 증례보고는 다수 저명 학술지에서 고정 섹션이었다. 그러나 근거기반의학이 부상하여 학술지들이 잡지 경쟁력 및 의학 현장과의 관련성을 측정하는 영향력 지수impact factor에 더 몰두하게 되면서, 이 관행은 지난 수십 년 사이 크게 위축되었다.[1] 이처럼 경쟁이 심한 환경에서 대다수의 전통적인 학술지 편집자는 독자들에게 가장 강한 인상을 주는 증례보고만을 출판한다.[2] 이 장에서는 투고 절차를 성공적으로 수행하는데 도움이 되는 지침을 제공하려고 한다.

대상 독자의 정의

증례보고 투고를 위한 학술지 선택에 가장 중요한 첫 단계는 대상 독자를 확인하는 것이다. 어떤 증례보고는 일반적인 독자들에게 관심을 끌 수 있는 반면, 다른 증례보고는 분과전문의에게, 또는 약사나 간호사와 같은 의사가 아닌 보건전문가에게 더 적합할 수도 있다.

대상 독자를 결정할 때는 다음의 사항을 고려한다.

- 증례보고의 핵심 요점은 무엇인가? 이 요점을 자신들의 일상 업무에 적용할 가능성이 가장 높은 사람은 누구인가?
- 증례보고가 비정상적인 소견에 초점을 둔 경우, 그와 같은 환자를 가장 많이 볼 가능성이 있는 사람은 누구인가? 일차 진료 의사, 응급의학과 전문의, 외과 전문의, 입원전담전문의 아니면 세부분과전문의인가?
- 증례보고가 치료에 초점을 두고 있다면 누가 그 치료를 할 가능성이 가장 높은가?

시간을 할애하여 예상 독자를 가능한 한 명확하게 정의하여 가장 적절한 저널 검색 범위를 좁힌다. 당신이 내과, 소아과 또는 일상적인 수술과 같은 일반 진료를 담당하고 있더라도 분과전문의를 독자로 고려해 둘 수 있다. 특히 분과전문 학술지는 특정 환자집단에 영향을 주는 희귀소견이나 예상치 못한 치료 부작용에 대한 증례보고 출판에 특별히 관심이 있다. 게다가 일부 전문 학술지는 일반적인 학술지보다 더 많이 증례보고를 출판한다. Annals of Thoracic Surgery의 최근호에는 21건 이상의 증례보고가 실렸다.[3] 저자 대다수는 흉부외과 전문의 또는 심장내과 전문의였지만, 마취과, 영상의학과, 방사선 종양학과, 모체태아의학, 산부인과, 병리학, 혈액학, 종양학 등 다른 분과 전문가도 있었다.

분과 전문 학술지 투고를 고려한다면 그 분야의 동료에게 나의 증례가 해당 학술지에 적합한지 검토를 요청해 보는 것이 도움이 된다. 이 경우 투고 원고의 명확성, 주안점, 관련성 및 정확성 검토를 위한 공저자로 초빙할 수 있다. 이 공저자는 편집자나 독자들로부터 들어오는 질문 응대에 각별한 도움을 줄 것이다.

학술지 및 양식의 선택

대상 독자를 고려한 후 증례보고 출판실적을 보며 해당 분야 학술지를 확인한다. 일부 학술지는 모든 호에 증례보고를 출판하지만, 어떤 학술지에서는 증례보고 전용으로 출간되는(예: 분기별) 분권호가 따로 있을 수 있다. 투고 전에 목표로 하는 학술지에서 최근에 출판한 증례보고를 검토하여 그 이전에 출판되었던 증례와 주제, 어조 및 형식이 일치하는지 확인한다. 투고 적절성에 의문이 있는 경우, 투고 전 학술지 편집자에게 문의하도록 한다. 정기적으로 증례보고를 출판하지 않는 학술지라면 임상의 난제나 증후군이 편집자의 관심을 끄는 경우에만 출판할 가능성이 크다.

연구 원고를 투고할 때 저자는 이력을 쌓고 승진 기회를 높이기 위해 높은 영향력지수를 갖는 학술지를 목표로 하게 마련이다. 물론 원고를 투고할 때 학술지 영향력 지수를 아는 것도 중요하지만, 저자의 증례보고와 유사한 증례를 출판한 이력이 있는 학술지를 선별하는 것이 더 중요하다. 증례보고를 아예 받지 않거나 주요 연구기관(예: 질병관리본부Centers for Disease Control, 국립 보건원Natioanal Institute of Health)의 증례보고만 출판하는 학술지를 목표로 한 투고는 저자에게 만족스러운 결과를 가져오지 못하며 결국 출판만 늦어질 것이다.

많은 학술지들이 독자들에게 더 흥미롭고 의미있는 정보를 제공하기 위해 전통적인 증례보고형식의 특별한 변형들을 개발해 왔다. 임상 도전 증례clinical challenge cases, 수수께끼 증례mystery cases, 새로운 치료 전략novel therapeutic strategies, 임상의학 영상, 임상추론 논문 및 임상 소발표는 모두 "증례보고"의 일종으로 볼 수 있지만, 그 양식은 다양하다. 다양한 증례보고 선택지를 검토하여 어떤 학술지가 당신의 증례에 가장 맞는지 결정한다. 아울러 원고를 작성하는 데 투자할 수 있는 시간도 고려해야 한다. 임상문제해결 논문은 작성하는 데 가장 많은 시간이 걸린다

(제10장 참조). 임상 영상은 시간이 훨씬 적게 걸리고 증례의 교훈을 강조하기도 쉽다.

약탈적 출판사

약탈적 출판사의 먹잇감이 되지 않아야 한다. 이들 회사나 개인은 저자들에게 거액의 출판 비용을 청구한다. 종종 동료 심사를 거치지 않은 학술지나 온라인 포럼[4] 등에 출판이 이루어지기도 한다. 오픈액세스 정보 시대에 이런 유형의 출판이 확산되고 있다. 이들은 거의 품질관리 절차를 거치지 않고, 대부분 학술진흥위원회academic promotions committees에서 인정받지 못하며, 신뢰할 수 있는 데이터베이스에 출판물을 거의 등재하지 못한다. 출판 비용은 최소 25달러에서 최대 300달러까지 다양하다. 출판을 원하는 저자는 이런 집단의 유혹을 억누르고, 대신 평판이 좋은 동료 심사 학술지에 집중해야 한다.

점차 더 많은 학술지가 증례보고 출판에 전념한다. 이들 중 일부는 일반적으로 인정되는 동료심사 절차를 준수하지만, 많은 학술지가 그렇지 않기도 하다. 증례보고를 학술지에 투고하기 전 PubMed에 등재되어 있는지, 기존 전문 출판물들과 관련이 있는지 확인하도록 해야 한다.

증례보고 원고의 투고

목표 학술지를 선택하고 증례 양식을 결정한 후 학술지 투고지침을 면밀히 검토한다.[5] 학술지 웹사이트를 방문하여 저자 안내에 실린 정보를 읽어보면 된다. 증례가 학술지의 출판기준을 충족하는지를 확인하자. 어떤 학술지에서는 처음 보고되는 새로운 증후군 및 질병 경과를 보고하는 투고 원고만을 수락한다. 다른 학술지들은 조금 더 자유로운 기준을 가지고 있어 어떤 방식으로든 교육적이기만 하다면 해당 증례보고를 출판하기도 한다. 환자 동의 및 영상의 사용허가에 관한 학술지 요구사항에 특히 주의를 기울여야 한다. 일반적으로 증례보고에 허용되는 저자 수에는 제한이 있다. 너무 많은 저자 때문에 투고가 거절될 수 있다. 투고할 때 교신저자를 명확하게 밝히도록 한다. 교신저자는 학술지 편집자가 원고에 대한 추가적인 정보와 설명을 교환하기 위해 연락할 사람이다. 학술지 편집위원회가 원고를 수락하기 전 교신저자와 여러 차례 편집을 하는 것은 드문 일이 아니다(동료 심사에 대한 대응 전략은 제12장 참조).

학술지의 단어수와 양식 관련 지침을 엄격하게 지켜야 한다. 원고 양식이 맞지 않고 철자 및 기타 문법 오류가 있거나 너무 긴 원고는 추가 심사 없이 거절될 수 있다. 일부 증례보고 원고는 학술지별 목차 요구사항을 맞추기 위해 양식을 재구성해야 할 수 있다. 이 작업은 수락 가능성을 높이기 위해 투고 전 신중하게 이루어져야 한다. 마지막으로 학술지에 초록을 포함해야 하는지 확인한다.

결론

투고가 가능한 적절한 학술지를 선택하는 것은 의학 문헌에 증례보고를 출판하기 위한 중요한 단계이다. 증례보고에서 다루는 임상질문에 가장 관심을 가질 학술지와 독자가 누구인지 고려할 때 대상 범위를 넓게 잡는 것이 유리하다. 투고에 가장 적합한 양식을 검토할 때는, 열린 마음을 갖고 증례에 가장 잘 맞는 양식과 해당 프로젝트에 투자해야 하는 시간 사이에서 균형을 맞추도록 한다. 분과 전문분야 독자의 관심을 끌 수 있도록 분과 전문분야 공저자를 초빙하는 것도 고려해보라. 성공적인 결과를 얻기 위한 기반 마련에 도움이 된다면 필요에 따라 원고를 수정할 계획을 가지고 신중하게 투고 과정을 진행하도록 한다.

참고문헌

1. Thompson PJ, Bs M. How to choose the right journal for your manuscript*. Chest. 2007;132:1073–6. doi: 10.1378/chest.07–1340 .
2. Warner JO. Case reports–what is their value? Pediatr Allergy Immunol. 2005;16(2):93–4. doi: 10.1111/j.1399–3038.2005.00266.x .
3. Oliemy A, Mahesh B, Pathi V. Acute traumatic right to left cardiac shunt. Ann Thorac Surg. 2016. doi: 10.1016/j.athoracsur.2016.02.080 .
4. Beall J. Best practices for scholarly authors in the age of predatory journals. Ann R Coll Surg Engl. 2016;98(2):77–9. doi: 10.1308/rcsann.2016.0056 .
5. McCarthy LH, Reilly KEH. How to write a case report. Fam Med. 2000. doi: 10.1136/bmj.327.7424.s153–a .

제 12 장

학술지의 견해

Somnath Mookherjee and Brian J. Harte

도입

원고 작성은 길고 힘든 과정이다. 주 저자는 어느 시점엔가 작업의 종료를 결정하고 투고 준비를 해야 한다. 이 장의 앞부분에서는 투고로 넘어가기 전 검토해야 할 최종 점검표를 제공한다. 제7장, 8장 및 10장에서 제시했던 지침을 잘 준수하여 증례보고를 작성했더라도, 수락확률을 최대한 높이기 위해 원고의 "최종"버전은 조금 더 확실하게 가다듬어야 한다.

이제 길고 긴 과정의 끝이라고 느낄 수도 있겠지만, 증례보고를 학술지에 투고하는 것은 대개 또 다른 긴 여정의 시작이다. 동료 심사에 몇 개월이 소요될 수 있고, 동료 심사에 대한 응답에도 많은 시간이 걸릴 수 있다. 최종 출판 수락 전까지 논문은 학술지와 저자 사이를 여러 차례 오고 간다. 이 장의 뒷부분에서는 이 과정을 최대한 원활하게 수행하기 위한 실용적인 지침을 제공한다.

투고 전 점검사항

1. 저널의 투고 지침을 읽는다 – 다시 한번!

투고 원고가 학술지의 모든 요구사항을 지키고 있는지를 확인한다. 아마도 원고를 작성하기 전 확인했겠지만, 투고 전에 지침을 확인해야 할 몇 가지 이유가 있다.

- 투고 지침은 논문 작성을 시작한 시점부터 변경되었을 수 있다 – 이미 수개월이 지났다.
- 최종 초고에서 단어 제한과 단어 수를 재차 확인한다. 그렇지 않으면 자동 투고 시스템에서 분량으로 인해 논문이 거절될 수 있으며, 논문이 제출될 수 있도록 마지막 순간에 편집과 삭제를 해야 하는 경우가 생긴다.
- 원고의 밀어넣기 투고는 절대 원하는 결과를 가져오지 못한다. 예컨대, 학술지 지침에 증례보고를 편집자에게 보내는 서신letter to the editor으로만 투고할 수 있다고 명시되어 있는 경우라면, 일반 논문 형태로 학술지에 슬쩍 제출해봐야 성공할 수 없을 것이다.

2. 학술지 독자의 관점에서 원고를 다시 읽어보라.

증례보고는 최종적으로 수락되기 전 여러 학술지에 투고할 수 있다. 원본 제출 및 재제출 시에 그 내용과 교훈이 적절한 독자를 대상으로 하고 있는지 확인한다. 편집자와 심사자는 저자가 독자에게 적절하고 유익한 증례보고를 작성하고자 노력했을 때 이를 알아보고 인정한다. 제11장에서 언급한바와 같이 분과 전문 학술지에 증례보고를 제출하는 것이 유익한 경우가 많다. 전문적인 독자는 일반 독자와는 많이 다르며 그에 맞게 원고가 보완되지 않을 경우, 해당 증례가 아무리 흥미롭더라도 거의 즉시 거절될 것이다.

3. (우연한)표절이 있는지 원고를 훑어본다.

놀랍게도 표절은 흔하다. 최근의 한 체계적 문헌고찰에 의하면 과학자 중 1.7%가 적어도 한 차례 이상 표절을 했으며, 30%는 표절 관련 행위를 하는 동료를 한 명 이상 알고 있다고 하였다.[1] 어떤 학술지는 의학 증례보고 투고 원고 중 12%가 표절 때문에 거절되었다고 보고했다.[2] 원고를 다시 펼쳐 모든 문구가 독창적인지 확인하라. 처음 다른 출처에서 잘라내어 붙여 넣은 원고의 "개요작성" 일부가 의도치 않게 표절이 된 경우가 흔하다. 저자들은 나중에 출처를 다시 작성하고 인용할 계획이었겠지만, 연이은 초안 작업 중에 이런 내용들이 무심코 원고에 섞여 들어갈 수 있다. 특정 구절이 독창적인지 베낀 것인지 분명치 않은 경우, 표준 인터넷 검색엔진에 붙여넣기 하여 검색해보라. 제한적이지만 무료로 제공되는 온라인 표절 확인 서비스도 있다. 학술지는 이미 출판된 자료인지 감지하기 위해 더 정교한 표절 검색도구를 사용한다. 논문 투고 전에 "차용한" 자료를 제거하는 것이 중요하다. 설사 부주의에 의한 것이더라도 표절은 학술적으로나 출판윤리에 있어서나 중대한 규정위반이다. 만약 학술지의 편집팀에서 표절의 증거를 발견하게 되면 이는 심각한 결과로 이어질 것이다.

4. 명확성과 흐름을 위해 다시 읽어 확인해 본다.

학술지 편집자들이 논문을 거부하는 주된 이유는 반복적으로 드러나는 "형편없는 글 솜씨" 때문이라고 한다.[3] 이는 당혹스럽지만 사실이다. 원고 편찬에는 엄청난 노력이 들어간다. 원고는 투고시점에 이르기까지 무자비한 편집, 윤문, 문장과 단락의 재배열에서 살아남았다. 그 모든 변화는 흔적으로 남았고, 수용되거나 삭제되었으며 논평이 가해졌다. 그 결과 저자에게는 원고가 특정한 논리와 구조를 가지고 있겠지만 처음 그것을 집어 드는 사람에게 어떻게 읽힐 것인지를 고려해야 한다. 세 개의 세미콜론과 다섯 개의 쉼표가 있어 좀 길기는 해도 저자에게 완벽해 보이는 그 문장이 3개월 정도 그것을 분석할 시간이 없는 독자에게는 이해 불가능한 난장판 논문일 가능성이 높다. 최종적으로 다시 읽어서 개정을 통해 개선될 수 있는 섹션이 보인다면 논문을 투고해서는 안 된다. 잘 읽히지 않는 내용을 그대로 투고하는 것보다 명확성과 세련된 흐름을 위해 최종 마무리에 시간을 할애하는 것이 훨씬 좋다. 다음은 논문의 명확성과 흐름을 최적화하는 4가지의 간단한 조언이다.

- 각 단락의 구성을 검토하라. 특히 고찰 부분이 중요하다. 대부분 문단은 주제 문장, 주제문장을 뒷받침하는 본문 3–4 문장, 결론 문장으로 구성된 전통적인 형식이어야 한다.
- 불필요한 수식어를 제거하라. "고려하고자 할 수도 있음may want to consider", "보여질 수 있음could be indicated"처럼 실패의 위험을 줄이기 위한 문구가 쓰인 구절을 찾으라. 가능하면 "고려해야 함should consider", "시사됨is indicated"과 같이 명확한 문구로 다시 작성하도록 한다.
- 곁가지를 제거하라. 잘 연구된 흥미로운 정보가 가득하더라도 증례의 주요 교훈과 100% 관련이 없는 단락은 모두 잘라내야 한다.
- 의료인이 아닌 친구나 지인에게 논문을 읽게 하고 그들에게 이해하기 어려운 부분을 지적해 달라고 요청하라.

5. 능동태active voice로 수정하라.

원고의 "어조voice"를 최적화하여 질을 현저하게 향상시키도록 한다. 가능하면 시간을 들여 수동태 문장들을 세심하게 제거하라. 심사자와 편집자는 그 차이를 알 수 있다. 예시:

수동태	능동태
A basic metabolic panel was ordered by the admitting team.	The admitting team ordered a basic metabolic panel.
A lumbar puncture was performed by the emergency department provider.	The emergency department provider performed a lumbar puncture.
Magnetic resonance imaging was considered by the neurology consultants.	The neurology consultants considered magnetic resonance imaging.
By then, the patient would have been re–evaluated by the neurologists.	By then, the neurologists would have re–evaluated the patient.

6. 시제를 다시 확인하라.

증례 제시는 모두 과거형으로 작성하라. 고찰에는 적절히 과거와 현재 시제가 포함될 수 있다. 사례:

	과거	현재	미래
정확한 표현	**Case presentation:** "The patient presented with 5 days of upper extremity weakness."	**Case presentation:** "Figure 1 shows the patient's left foot." **Discussion:** "Our case demonstrates the importance of taking a complete review of systems."	**Discussion:** "The patient will require yearly CT scans for the rest of his life."
부정확한 표현	**Discussion:** "Our case demonstrated the importance of taking a full review of systems."	**Case presentation:** "The patient then shows the rash to the physician." **Case presentation:** "A CT scan is performed."	**Case presentation:** "Figure 1 will show the patient's left foot."

7. 1인칭, 2인칭 표현을 제거하라.

3인칭은 학술적 글쓰기에서 선호되는 유형이다. 학술지에서 1인칭이나 2인칭 표현을 허용하는 경우도 있으나(예: 임상추론원고에서 토론자가 증례 제시에 응답하는 경우) 이는 드물다. 사례:

1인칭	2인칭	3인칭
I, me, my, mine, we, us, our, ours	You, your, yours	He, she, it, him, her, his, her, hers, its, they, them, their, theirs

8. 영상을 재확인하라.

영상은 증례보고의 가치를 크게 높일 수 있으나, 잘못 제시된 영상은 증례보고를 산만하게 만든다. 포함된 영상을 마지막으로 살펴보고 다음 사항을 확인한다.

- 영상은 적절하게 잘려 있어야 한다. 예를 들어 관심영역이 손이라면 환자의 팔과 몸통이 포함될 필요가 있겠는가?
- 관심대상 소견을 명확하게 표시한다. 독자는 병리학 슬라이드나 방사선 영상을 능숙하게 해석하지 못할 수도 있다. 모든 화살표는 분명하게 보여야 하고, 정확하게 관심영역을 가리키고 있어야 한다.
- 영상의 해상도가 적절해야 한다. 영상이 선명하지 못하다면 생략하는 것이 낫다.

동료심사 응대

대부분의 저자들은 원고가 마침내 자신의 손을 떠나 학술지에서 검토 중일 때에야 휴식을 즐긴다. 이때에는 무슨 일이든 가능할 것 같은 기분이다. 당신의 편지함에 편집자로부터 “당신이 투고한 원고는 대단히 훌륭하였으며, 심사자들이 당신의 흥미로운 증례와 글 솜씨에 경탄하였습니다. 별도 수정 없이 즉시 출판하고자 합니다.”라고 쓰인 이메일이 와 있을 것만 같다. 그러나 “당신 투고에 감사드립니다. 유감스럽게도 귀하의 원고는 현재 저희 학술지에 적합하지 않습니다.”라거나 “우리 학술지에서는 수정된 원고를 검토하고자 합니다. 심사자들에게서 많은 비평과 제안이 있었습니다. 원고를 수정하여 재투고 하시려면, 각 심사자 의견에 응답하시고 수정한 내용을 모두 기록해주십시오.”라는 메일이 올 확률이 더 높다. 당장은 그렇게 느껴지지 않을 수도 있지만 두 번째 메시지는 정말 좋은 소식이다. 이는 원고 수정을 성실하게 해나간다면 출판에 이르는 길이 있음을 뜻한다. 이 장의 나머지 부분에서는 학술지 수정 요청에 대한 효과적인 대응 단계를 설명한다.

1단계: 심사의견을 대응할 수 있는 단위로 나누어 정렬하라

모든 심사자의 의견이 빠짐없이 다뤄질 수 있도록 정렬한다. 이는 수정 원고를 재투고할 때 중요한 요건이다. 아래에 제시된 것처럼 차트를 작성하여 시작한다.

심사자 #, 코멘트 #	심사자/주석 코멘트	저자 반응	원고 변경사항

순차적으로 심사의견 각 부분을 복사하여 개별 쟁점들을 독립적으로 열거한다. 모든 피드백을 고려했음을 보여주기 위해서는 심사자가 작성한 문구를 수정하거나 심사의견 문장을 생략하면 안 된다. 심사의견 명료성에 따라 다르긴 하지만, 많은 경우 원고에서 개별 문제에 대한 분명한 지적이라면 전체 문단은 그대로 유지하는 것이 가장 좋다. 한 문장 안에 여러 개념이 동시에 지적되어 있는 경우도 있는데, 이때에는 내용을 분석하여 개별적으로 이슈를 정의하고 체계적인 대응을 하는 것이 중요하다.

예를 들자면, 가상의 심사자 1의 의견 "전체적으로 흥미있는 증례입니다. 그러나 증례 표현이 무질서하고 관련 없는 정보가 너무 많으며(CBC는 필요하지 않음) 정보를 비선형적으로 제시합니다."에 대한 피드백을 다음과 같이 준비한다.

심사자 #, 코멘트 #	심사자/주석 코멘트	저자 반응	원고 변경사항
R1C1	"전체적으로 흥미있는 증례입니다."		
R1C2	"그러나 증례 표현이 무질서하고		
R1C3	......관련 없는 정보가 너무 많으며(CBC는 필요하지 않음)...		
R1C4	정보를 체계적이지 않게 제시합니다"		

2단계: 심사자와 편집자 의견을 전반적으로 검토하라

모든 심사자와 편집자 의견을 표에 정렬하고 공통의 문제 또는 주제를 찾는다. 여러 심사자가 동일한 문제를 언급한다면 답변에서 이 문제를 포괄적으로 해결하는 것이 중요하다. 반복적으로 언급되는 문제는 작업물에 심각한 약점이 있음을 확실하게 보여주는 것이다. 이와 동시에 심사자 사이 의견이 모순되거나 불일치하는 부분을 찾는다. 이런 문제에 대해서 어떻게 응답할 지 저자들 사이에 합의가 있어야 한다.

3단계: 응답 및 수정 초안 작성

응답 초안을 작성할 때는 다음의 원칙을 따른다.

A. 절대 공격적으로 응대해서는 안 된다-비평이 유독 가혹했다면 응답 초안을 작성하기 전 며칠 동안 평정심을 되찾도록 한다.

B. “요청request”과 “제안suggestion”의 차이를 인지한다. 원고가 동일한 학술지에 재투고 되려면 수정본에서 “요청”은 거의 완수되어야 한다. 제안도 대부분 받아들여야 하지만 다른 방침을 세우고 설명할 수 있는 여지가 더 많다. 다음의 몇 가지 예를 참조하라.

요청 – 요청된 사항은 모두 변경해야 한다.	**제안 – 저자들에게 중요하다면, 제안된 변경사항에 반대되는 합리적인 주장을 할 수도 있다.**
“요청”의 예시	“제안”의 예시
• 편집자가 특정 변경사항을 구체적으로 요구함 “1인칭의 모든 사용을 바꾸십시오.” “모든 약어를 적어 주십시오.” “최종 진단은 여전히 불분명합니다. 진단에 불확실성이 없도록 수정해 주십시오”.	• 편집자가 저자에게 심사자 의견을 고려할 것을 제안하지만 심사자 입장에 완전히 동의한다고 명시하지는 않음 “검토자 2의 진단 정확도에 대한 우려를 참고하시기 바랍니다. 의문이 제기된 실험실 값 정상치를 제공하는 것이 좋습니다.”
• 편집자가 심사자 견해를 강조하고 해당 문제에 주의할 것을 요청함 “리뷰어 2의 학술지 독자를 위한 이 사례 적합성 우려 여부에 대하여 귀를 기울이십시오.”	• 심사자나 편집자가 저자에게 수정을 고려하라고 제안함 “첫 번째 단락을 두 개의 개별 단락으로 나누는 것을 고려하십시오. 첫 번째 단락은 ED 프레젠테이션이고 두 번째 단락은 초기 작업입니다.”
• 심사자나 편집자가 견해를 “major comment”로 표명하고 원고를 개선하기 위한 수정의 중요성을 강조함 “환자의 실제 임상 경과를 반영하도록 원고를 수정하는 것이 좋습니다. 이것은 중요한 문제이며 상당한 수정이 필요할 것입니다.”	• 검토자나 편집자가 견해를 “minor comment”로 표명하고 언급함 “나는 환자의 병원 입원 경과 중에 입원일을 언급하는 것이 좋다고 생각합니다. 이것은 스타일 선호도이며 작성자의 재량입니다.”

C. 편집자와 심사자를 이기고 싶은 유혹에 빠지지 마라. 편집자의 코멘트 및 심사자 견해 사이의 불일치나 내용상의 오류를 알아내기란 그리 어려운 일이 아니다. 하지만 이런 점을 지적하거나 교묘하게 모욕하는 것은 당신에게 이롭지 않다. 예컨대 "두 분의 심사자가 제목(및 원고의 나머지 부분)을 싫어했고, 한분의 심사자는 좋아하였습니다. 우리는 제목을 유지하기로 결정했습니다."라고 말하는 대신 다음과 같이 말하는 것을 고려해 보라. "우리는 제목에 대한 심사자분들의 적극적인 의견에 감사하고 있습니다. 많은 가능성을 고려한 끝에 우리는 최종적으로 검토자 1의 견해에 동의하여 제목을 변경하지 않기로 결정했습니다. 우리는 현재 타이틀이 증례의 핵심을 가장 잘 반영한다고 생각합니다."

D. 모든 응답 표현에서 전문적이고 정중한 언어를 사용하라. 긍정적인 의견에 대해서는 해당 논평자에게 감사를 표해야 한다. 모든 지적사항을 인정하고, 답변에서 그 부분을 반복하라. 심사자 의견이 이전 응답에서 이미 반영된 경우, 간단히 해당 부분을 언급한다. 다음의 예시를 참조하라.

심사자 #, 코멘트 #	심사자/주석 코멘트	저자 반응	원고 변경사항
R1C1	"전체적으로 흥미있는 증례입니다."	긍정적인 의견을 주신 심사자께 감사드립니다.	
R1C2	"그러나 증례 표현이 무질서하고	사례 발표 전반적인 구성에 대한 검토자의 관심에 감사드립니다. 사건 순서를 발생한 순서대로 정확하게 묘사하기 위해 증례 프레젠테이션을 다시 작성했습니다.	증례 발표 단락 1: 나중에 입원 중에 얻은 CT 스캔 및 실험실에 대한 참조를 없앴습니다. 신체 검사 및 입원시 검사실 소견이 추가되었습니다. 사례 발표 단락 2: CT 스캔 및 이후 실험실 결과가 추가되었습니다. 신체 검사 및 입원시 검사실 소견을 제거했습니다.
R1C3	......관련 없는 정보가 너무 많으며(CBC는 필요하지 않음)...	포함된 검사실 소견 중 일부가 해당 증례와 관련이 없는 것으로 인식될 수 있다는 점을 알려 주셔서 감사드립니다. 우리는 입원 CBC가 입원 과정에서 나중에 발생한 잠복 출혈을 고려할 때 증례와 매우 관련이 있다고 생각합니다. 따라서 우리는 증례 프레젠테이션에서 입원 CBC를 유지했지만 첫 번째 단락으로 옮겼습니다(R1C2 참조).	변화 없음
R1C4	정보를 체계적이지 않게 제시합니다"	R1C2에 대한 응답을 참조하십시오.	R1C2에 대한 응답을 참조하십시오.

학술지의 요구 사항에 따라 "원고 변경 사항" 항목은 응답에 포함될 수도, 포함되지 않을 수도 있다. 모든 경우에 원고 원본의 변경 사항을 입증하려면 일종의 추적이 필요하다. Microsoft Word©의 "변경 내용 추적" 기능을 사용하거나 개정판의 모든 변경 내용을 굵게 표시하는 등 다양한 방법이 있다.

4단계: 회신편지 작성

응답 편지의 주요 구성요소는 다음과 같다. 해당 편집자에게 편지를 보내 원고 검토에 대한 감사를 표한다. 비평 의견들이 어떻게 처리되었는지 표를 사용하거나 목록을 활용하여 설명한다.

Journal of Extraordinary Cases
Sophie Snozzcumber, MD, MPH
Deputy Editor

Re: MS # 1217, Major Revision

Dear Dr. Snozzcumber,

We thank you for your review of our manuscript entitled "Macrotia in Micronesia." This manuscript has been substantially revised for your re-consideration. In this letter we respond to the concerns raised by yourself and the reviewers. The first column lists the reviewers' comments in their entirety, divided by issue addressed. We have attached a revision with changes tracked as well as a clean version.

	Comments	Response
Reviewer 1, Comment 1		
Reviewer 1, Comment 2		

We would like to thank the Editor and reviewers for their thoughtful evaluation of our work and insightful comments. We believe that the consequent changes inthe manuscript have made this a stronger work, and we look forward to your review of this revised manuscript.

Best regards,

Dr. Mary Clonkers, MD

결론

모든 흥미로운 증례보고는 의학 문헌 어딘가에 자리가 마련되어 있다. 보고할 좋은 증례의 선택, 증례보고의 작성 방법, 제출할 곳에 대한 지침들을 앞 장에서 제시했다. 이번 장의 조언에 따라 증례보고 과정을 완료하여 당신의 증례보고가 잘 이루어지기 바란다.

참고문헌

1. Pupovac V, Fanelli D. Scientists admitting to plagiarism: a metaanalysis of surveys. Sci Eng Ethics. 2015;21(5):1331–52.
2. Garg A, Das S, Jain H. Why we say no! A look through the editor's eye. J Clin Diagn Res. 2015;9(10):JB01–5.
3. Pierson DJ. The top 10 reasons why manuscripts are not accepted for publication. Respir Care. 2004;49(10):1246–52.

제 13 장

출판되었다!

Clifford D. Packer

잠깐의 유명세

1968년 앤디 워홀은 "앞으로는 모든 사람이 15분간 세계적으로 유명해질 것이다."라고 말했다. 워홀은 뉴스 기사, 비디오 클립, 유행 및 아이디어가 몇 분 만에 입소문이 났다가 바로 시야에서 사라질 수 있는 인터넷 시대를 예견한 듯하다. 내가 2류 영문 의학학술지에 기고했던 별로 알려지지 않은 논평이 2009년 5월에 금주의 전 세계를 흔든 의학적 소동의 일부가 되면서 나는 15분간의 명성을 얻었다.

2008년에 원인을 알 수 없는 만성적인 저칼륨혈증을 앓는 환자에 대한 증례를 출판했을 때, 나는 장기간의 과도한 콜라 섭취가 저칼륨혈증의 원인이었음을 발견했다[1]. 이듬해 International Journal of Clinical Practice IJCP는 나에게 그리스 의사 세 사람이 쓴 종설 논문의 심사를 맡아달라고 연락해 왔는데, 그 논문은 콜라가 유발하는 저칼륨혈증의 알려진 모든 증례를 요약하고 병태생리학적 가설을 세운 것이었다.[2] 종설 논문 심사와 함께 몇 달 후 출판될 주제에 대한 논평 집필 요청도 받았다.[3]

얼마 지나지 않아 IJCP를 대행하는 런던의 한 광고 회사는 종설 논문을 요약한 보도 자료를 발표하고 주제에 대한 내 논평 의견도 인용했다. 그리고 매우 빠르게 사건이 진행되었다. 이 이야기가 전 세계 신문, 유선 서비스, 건강 뉴스 웹사이트에 산불처럼 퍼진 것이다. BBC 뉴스는 헤드라인에서 "너무 많은 콜라가 근력을 약화 시킨다"고 경고했다[4]. Daily Telegraph에서는 "의사들은 다량의 콜라를 마시면 마비가 일어날 수 있다고 경고 한다"고 외쳤다[5]. Der Spiegel에서는 "의사의 경고: 콜라는 신체의 활력을 빼앗는다(Mediziner-Warnung: Kola klaut dem Korper Kraft)"라는 제하의 기사를 대대적으로 보도했다.[6] USA Today, ABC 뉴스, 로이터 통신, 연합통신UPI, 뉴욕의 신문들을 비롯하여 글래스고, 미얀마, 멜버른의 신문들까지도 이 이야기를 실어 날랐다. 테헤란의 Fars 통신사에서는 "콜라를 마시는 것은 마비의 위험을 높인다."고 했다. 사실 이 이야기는 이란, 이라크 심지어는 북한 신문에서도 다뤄졌고 내 이야기가 인용되었다.

그날 오후 보훈병원VA clinic에서 환자를 검사하는 동안 사무실 전화가 울렸다. 런던의 IJCP에서 일하는 언론홍보 담당자였다. 그녀는 반쯤 미친 것처럼 흥분한 목소리로 말했다. "파커 선생님. 콜라 유발 저칼륨혈증에 대한 선생님 기사가 지금 엄청난 관심을 받고 있습니다. 모두가 기사를 읽고 있어요. 방금 뉴욕 ABC 뉴스에서 전화를 받았는데, 당장 선생님을 인터뷰하고 싶어 합니다." 그녀는 나에게 기자 이름과 전화번호를 알려주고 바로 전화해달라고 당부했다. 그렇지만 나는 환자를 진료하고 진료기록 작성을 마친 후(중요한 일이 우선!), 5시가 되어서야 신경질적으로 번호를 누르고 기자 음성 메일에 메시지를 남겼다. 안타깝게도 그 이야기는 그때 이미 절정을 넘어 시들해지고 있었다. 이와 같은 의학적 소동의 반감기는 며칠이 아닌 몇 시간 정도로 보였다. 언론홍보 담당자는 내게 다시 연락해오지 않았다.

다음 주와 그 다음 주에 온라인 인터뷰 요청을 받았고, 여러 사람들로부터 콜라와 저칼륨에 대한 자신의 경험을 설명하는 이메일을 받았다. 그 중 인상적인 것들도 있었는데, 심각한 근육 약화 및 통증이 공통된 문제였다. 의과대학의 교수들로부터도 이메일을 받았는데 일부는 그들의 영양 이론을 확증해 준 것에 대한 감사 표시였고, 몇 가지는 약간 엉뚱한 내용이었다. 내 논평은 저칼륨혈증에 대한 위키피디아 기사에서도 볼 수 있다(하단의 "기타" 원인 참조).[7] 흥미롭게도 코카콜라회사에서 종설 논문과 논평에 대해 진지하지만 솔직하지 못한 보도 자료를 발표했다(분명 그들은 증례보고의 한계에 대해 잘 알고 있는 전문가의 자문을 받은 듯하다).

모든 제품의 안전과 품질은 무엇보다 중요하며 우리는 결코 이에 대해 타협하지 않습니다. 120년 전 코카콜라를 처음 만들기 시작한 이래로 그랬습니다. International Journal of Clinical Practice의 논문에 쓰인 사례는 모두 장기간 섭취(하루 3–9리터)의 극단적 예시입니다. 콜라를 적당히 마시는 것은 안전하며, 사람들은 합리적이고 균형 잡힌 식단과 활동적인 라이프 스타일의 일환으로 이런 음료를 계속 즐길 수 있습니다. 좋은 영양의 기초는 균형, 다양성 그리고 절제입니다. 이 논문은 종설입니다. 과학적 연구(즉, 임상연구)가 아니며 콜라 섭취에 의한 저칼륨혈증 유발에 대한 주장의 근거는 불충분합니다. 보고된 저칼륨혈증 증례는 비정상적으로 많은 양의 콜라를 지속적으로 섭취한 것과 관련이 있으며, 이는 소비자들의 전형적인 콜라 탄산음료 소비 패턴을 대표하지 않습니다. 게다가 저자들은 적당한 양의 카페인(180–360 mg)이 저칼륨혈증을 유발할 수 있다고 추정하였습니다. 이 관찰은 잘 설계된 임상연구에 기초한 것이 아닙니다. 우리는 책임감을 갖고 제품을 마케팅하고 모든 제품에 대해 사실에 기반을 둔 영양과 건강 정보를 제공하는 데 앞장서 왔습니다. 효과적인 소비자 정보 전달 및 교육 프로그램을 통해 모든 제품에 대해 영양 및 건강정보를 제공함으로써 우리는 사람들이 합리적이고 균형 잡힌 식단을 선택하며 더욱 활동적인 신체를 가꿀 수 있다고 생각합니다.[8]

다량의 콜라 섭취는 드문 일이 아니라고 밝혀져 있다. 미국 국립 보건 영양 설문조사National Health and Nutrition Examination Survey, NHANES 데이터 분석에 따르면 미국 청소년 및 성인 약 5–10%가 하루에 최소 2리터의 콜라 또는 설탕이 든 음료를 섭취한다.[9] 또한 나는 아직 코카콜라가 어떻게 사람들에게 "합리적이고 균형 잡힌 식단을 선택하며 더욱 활동적인 신체를 가꿀 수 있게" 해주는지 본적이 없다. 그렇지만 나는 미국 학교에서 청소년 비만을 줄이기 위해 청량음료 제품 공급을 줄이는 실질적인 진전이 있었다는 점에서 기쁘다.

2010년 한 뉴질랜드 여성이 수년간의 콜라 다량 섭취에 의해 유발된 저칼륨혈증으로 사망했고, 이와 관련하여 신문상에서 또 다른 짧은 소동이 있었지만 곧바로 잦아들었다. 그러나 과도한 콜라 섭취로 유발되는 중증 저칼륨혈증 및 근육병증에 대한 증례보고가 꾸준히 쏟아져 나오고 있으며 나는 그 중 일부에 심사요청을 받기도 했다. 2013년 Sharma와 Guber가 출판한 증례보고 및 문헌고찰은 특히 흥미롭고 잘 작성되어 있으며, 저칼륨혈증을 감별 진단할 때 콜라 과다섭취를 고려해야 한다는 확실한 증례를 제시한다.[10] 이런 인식은 이환율을 줄이며 때로는 생명을 구할 수도 있다. 나는 응당 그래야 하고 편안하기도 한 익명 상태로 다시 돌아가게 되어 행복하다. 그렇지만 한편으로는 콜라 유발 저칼륨혈증이 많은 사람들에게 "알려진" 질환이 되고 있으며 이 지식이 영구적으로 사라지지 않을 것임을 알게 되어 기쁘기도 하다.

이 이야기는 증례보고가 어떻게 동료 심사 요청, 논평 초청, 보도자료 배포, 전 세계 언론의 열광, 기업 피해의 통제 그리고 잠재적 문제에 대한 의사들의 새로운 인식으로 이어질 수 있는지 보여준다. 증례보고의 통상적인 경과는 아닐 수 있지만, 실제로 일어난 일이었다.

동료 심사 기회

당신의 증례보고가 출판되면 학술지 편집자가 심사자 활동을 요청하기 위해 연락해 올 수도 있다. 심사한 증례보고가 특별히 흥미롭거나 논란의 여지가 있고 당신이 사려 깊은 평가의견을 작성한 경우, 해당 증례에 대한 논평이나 의견 작성에 초청받을 수도 있다. 이 시점에 증례보고와 논평에 관련한 입소문이 나지 않았더라도 당신은 해당 분야에서 전문지식을 입증한 것이다. 이는 더 많은 심사요청과 논평 작성으로 이어진다. 이렇게 동료심사는 전문성 및 영향력 범위를 확장하는 방법이 될 수 있다.

내 증례보고 출판의 직접적인 결과로써 나는 영양학, 약리학, 독성학, 종양학, 당뇨병 연구, 류마티스학 및 혈액학 등의 주제에 대한 광범위한 학술지의 증례보고 및 연구논문 심사자로 초청받았다. 박학다식한 사람들을 제외하고는 매우 극소수의 저자들만이 그렇게 다양한 분야의 심사자로 참여하게 된다. 나는 확실히 박학다식한 사람은 아니며, 그저 증례보고를 작성하고 새롭고 흥미로운 주제를 조사하는 것을 좋아하며 다방면에 관심이 많은 사람일뿐이다. 증례보고를 작성하고 싶은 충동은 다양성에 대한 애정에서 생겨난다. 이 애정은 우리 중 누군가에게 다방면에 관심을 갖는 사람이 되는 동기를 부여한다.

증례보고 저자가 동료 심사에 참여하는 것은 학문적 성장을 촉진하고 비판적 통찰력을 향상시키는 동시에, 편집 과정의 타당성과 진실성을 유지하고 출판된 논문 품질을 향상시키는 데 도움이 된다. 논평이나 의견 작성을 권유받는 것 외에 연수교육 평점(일부 학술지에서 제공)을 받고 진급에 도움이 되는 일이 증가하는 등 다른 이점도 있다. 여러 저자가 동료 심사 절차와 과학 논문을 심사하는 방법에 대하여 의견을 냈다.[11-13] 연구 논문과는 달리 증례보고의 심사에 있어서는 다음의 5가지 질문을 특별히 고려해야 한다.

1. 증례가 명확하고 간결하게 기술되어 있으며, 모든 필수 임상 데이터와 계측치가 포함되어 있는가?
2. 충분한 문헌고찰이 이루어졌는가?
3. 증례에 맥락이 부여되어 있는가? 다른 유사한 증례와 비교하여 드물거나, 흥미롭거나 독특한 점을 전달하고 있는가?
4. 임상사건을 설명할 수 있는 타당하고 설득력 있는 가설이 있는가?
5. 증례의 임상적 의의에 대한 고찰이 이루어졌는가?

콜라 유발 저칼륨혈증, 메트포민 연관 젖산산증, 척추 유육종증에 대한 증례보고를 심사했을 때, 나는 위의 질문 영역 중 하나 이상에서 변경을 제안하여 원고를 유의미하게 개선하고, 경우에 따라서는 출판으로 이끌 수 있었다. 또한 각 논문을 검토하는 과정에서 거의 알려지지 않은 참고문헌, 질병의 대안적 기전, 이전에 고려되지 않았던 가설과 추정 등 많은 것을 발견했다. 동료 심사는 강렬한 학문적 경험이 될 수 있으며 (보상은 없지만) 노력의 가치가 있다. 정식 연구에 참여하지 않는 의대생, 전공의 및 임상의의 경우 증례보고를 출판함으로써 동료 심사의 특별한 책임과 성장을 경험할 수 있다.

논평 작성 기회

의학 학술지에 논평을 작성하게 되는 세 가지 주요 경로가 있다. 첫 번째는 보통 해당 분야의 최고 권위자를 위한 학술지 편집자의 직접 초청이다. 두 번째는 편집자에게 연락하여 청하지도 않은 논평의 투고에 대해 문의하는 것이다. 이런 접근은 거의 성공하지 못한다. 세 번째 경로는 위에서 논의한 동료 심사다. 어떤 학술지에서는 동료 심사자에게 "이 주제에 대한 논평을 작성할 의향이 있습니까?"라고 직접적으로 묻는다. 다른 학술지는 공개적으로 사설을 요청하지 않을 수 있지만 논문의 흥미로운 의미를 제시하는 사려 깊은 심사자는 그것에 대해 더 많이 쓰도록 초대받을 수 있다. 나는 Tsimihodimos 등이 발표한 콜라 유발 저칼륨혈증 논문을 심사했을 때[2], 심혈관 질환을 가진 다량의 콜라를 섭취하는 인구집단에서 저칼륨 상태 같은 부작용을 일으킬 수 있다는 의견을 냈다. 저자들은 논문 최종 수정본에서 이 점에 대해 언급하였고, 나는 논평에서 이 문제를 다시 제기하였다.[3] 학술지의 편집자들은 사실에 기반하고 타당성을 갖추고 있는, 이런 종류의 추정을 좋아한다.

증례보고 및 증례군 연구의 결과에 대한 논평은 도발적이면서도 신중해야 한다. 증례의 잠재적 의의를 탐색할 수 있지만, 근거 없는 추정과 결론은 피해야 한다. 나는 논평에서 장기간의 과도한 콜라 섭취가 저칼륨혈증을 유발할 수 있다는 주장을 옹호하는 논거들을 요약하였다.

Tsimihodimos 등은 콜라 유발 저칼륨혈증에 대한 종설에서 청량음료가 건강 문제를 일으키는 긴 목록에 칼륨 결핍이 추가되어야 한다는 설득력 있는 주장을 한다. 그들이 기술한 증례에서 설탕이 든 콜라를 하루 3–10리터씩 장기간 섭취하면 심한 저칼륨혈증, 저칼륨성 근육병증, 심한 경우 저칼륨혈증 마비가 발생했다.

한 환자는 저칼륨성 신병증과 이에 속발하여 신성 요붕증이 발병하기도 하였다. 모든 증례에서 환자의 증상은 호전되었으며, 저칼륨혈증은 칼륨 보충 및 콜라 섭취 감소와 중단으로 정상이 되었다.[3]

논평의 또 다른 유용한 기능은 병태생리에 대해 논의하고 제안된 질병 기전을 평가하는 것이다.

저자들이 제안 한 콜라 유발 저칼륨혈증의 질병기전은 실제적으로 광범위하게 전해질 생리학과 연결된다. 첫째, 많은 양의 포도당 섭취는 신장에서 칼륨 배설을 증가시키는 삼투성 이뇨를 유발하고, 고인슐린혈증을 일으켜 세포내 칼륨 재분배를 일으킨다. 둘째, 다량의 액상과당을 함유한 음료는 소화가 잘되지 않는 과당 덩어리를 위장관으로 보내 삼투성 설사를 통한 칼륨 소모를 유발한다. 셋째, 카페인은 베타 아드레날린성 자극을 유발하고, 세포 포스포디에스테라제 억제를 통하여 나트륨/칼륨-ATP가수분해효소를 증가시키며 대사성 알칼리증, 이뇨 작용, 레닌 수치 상승 등을 유도하는 것으로 나타났으며, 이는 모두 저칼륨혈증에 기여할 수 있다. 카페인과 고액상과당을 함유한 콜라 같은 청량음료는 삼투와 카페인 매개 칼륨 소모의 동시 효과로 저장된 칼륨을 급속하게 고갈시킬 수 있다. 내 환자는 하루 4리터 펩시 콜라 섭취 습관으로 인해 396 g 과당과 커피 7잔에 해당하는 400 mg 카페인을 섭취하고 있었는데, 이는 만성적인 덜 심각하지만 삼투성 설사를 유발하기에 충분하다.[3]

마지막으로 논평 작성자는 Samuel Johnson이 말한 “아무 결론을 내리지 않는 결론”을 피해야 한다.[14] 합리적인 요점을 만들고, 보다 확장된 의의를 다루며, 경구aphorism로 마무리한다.

내과 의사는 알코올, 담배 및 불법 약물 사용에 대한 일반 질문 외에 성인 환자의 청량음료 섭취 여부도 질문해야 한다. 콜라는 저칼륨혈증의 원인이 될 수 있으므로 의사의 약물 및 물질 점검표에 추가되어야 한다. 콜라 소비, 저칼륨혈증 및 심혈관 질환의 역학에 대한 더 많은 연구가 필요하다. 마지막으로 청량음료 회사는 모든 연령대를 대상으로 안전하고 적절한 제품 사용을 장려하고, 제품 제공 용량을 줄이며 보다 건강한 음료에 대한 요구가 증가하고 있음에 관심을 기울여야 한다. 목마른 캥거루 사냥꾼의 이야기는 우리에게 아리스토텔레스가 말한 “중용”의 지혜를 상기시켜준다.[3]

논문의 색인

오래된 Index Medicus(점점 시대에 뒤쳐지는 들어올리기조차 힘든 거대한 책)를 통해 검색한 적이 있을 정도로 나이든 사람들은 PubMed와 Google Scholar에 깊이 고마워한다. PubMed는 무료로 의학, 간호학, 치과학, 수의학, 보건학 및 비임상 과학 학술지 논문에 대한 색인 인용 및 초록의 MEDLINE 데이터베이스 온라인 열람을 제공하는 미국 국립 의학 도서관 서비스이다. Google Scholar는 사용자가 비용을 내지 않고 모든 분야 학술문헌을 검색할 수 있는 온라인 검색 엔진이다. PubMed에 색인된 대부분의 논문은 동료 심사를 거치며, 학술지가 PubMed에 등재되기 위해서는 주제와 제공 정보 범위, 내용물의 질, 편집 작업의 질, 제작 품질, 예상 독자에 대한 엄격한 심사를 통과해야 한다.[15] Google Scholar 검색은 PubMed에 비해 더 광범위하고 덜 구체적인 경향이 있다. 여기에는 회의 자료 모음집, 논문, 서적 목차, 동료 심사를 거치지 않은 논문 같은 더 많은 "회색 문헌grey literature"이 포함되어 있다. Google Scholar 검색은 관련 논문을 2배 정도 더 많이 보여주지만[16], PubMed 검색이 근거기반 환자 치료 프로토콜, 개별 환자 치료 및 교육 목적으로는 더 실용적일 것으로 보인다.[17]

대다수 저자는 자신의 논문이 더 많이 인용되고, PubMed 색인의 명성이 학문적 발전에 도움이 될 것이라는 믿음으로 PubMed 등재 학술지 출판을 선호한다. PubMed 등재 학술지의 증례보고 출판은 다른 논문 유형에 비해 더 어려울 수 있으며, 특히 학술지 평판에서 가장 중요한 요소 가운데 하나인 영향력 지수에 증례보고가 부정적인 영향을 미칠 것 이라는 편집상의 우려가 있다. 그러나 Journal of Medical Case Reports, Case Reports in Medicine, BMJ Case Report와 같은 PubMed 등재 증례보고 학술지를 신중하게 선택하여 현명하게 활용한다면 대다수 증례보고의 PubMed 색인 노출 빈도와 명망을 증가시킬 수 있다. 내가 2005년 이후 저술했거나 공동 저술한 18건의 증례보고 중 15건이 PubMed 색인 학술지에 출판되었다.

출판물 분석 정보와 소셜 미디어

출판물 분석 정보에는 인용 횟수, 열람 횟수, 다운로드 횟수, 웹 분석 및 Altmetric이나 ResearchGate 점수와 같은 복수출처의 지표가 포함될 수 있다. 출판물 분석은 질이 아닌 관심도를 측정한다. 논문이 여러 이유로 주목받을 수 있지만, 모두 긍정적인 것은 아니다. 셀프 인용으로 인용 횟수와 대중성을 부풀리기도 한다. 그러나 분석은 우리 논문을 누가 인용하는지, 얼마나 많은 사람들이 논문을 읽고 토론하는지, 그들이 세계 어디에 있는지 등과 같은 여러 유용한 정보를 알려준다.

증례보고는 다른 유형의 의학 연구보다 덜 인용된다. Patsopoulos 등이 2001년 다양한 연구 설계의 인용 비율을 검토한 결과, 증례보고의 1% 미만이 2년 내 10회 이상의 인용 횟수를 기록한 반면 메타분석은 43.6%, 무작위 대조 임상시험은 29.5%, 기타 다양한 연구 설계 경우 10-25% 정도가 2년 내에 10회 이상 인용되었다.[18] Bhandari 등의 정형외과 문헌 인용 연구 결과도 이와 유사하여 메타분석, 무작위 대조 임상시험, 기초 과학 논문, 증례보고가 3년 동안 각각 15.5회, 9.3회, 7.6회, 1.5회 인용되었다.[19]

대다수 증례보고에 대한 낮은 초기 인용율은 무작위 대조 임상시험이나 메타분석과 구별되는 근거로써의 기능에 대한 근본적 차이를 반영하는 것이다. 예상치 못한 치료 성공에 대한 일부 증례보고(예: 암 치료에 대한 인상적인 반응)는 일찍 많은 관심을 끌고 인용될 수 있지만[20], 대다수 증례보고는 미래 환자에게서 다시 나타날 수도 있고 그렇지 않을 수도 있는 드물거나 일회성인 사건을 설명한다. 이런 증례보고들은 특이사례에 대한 영구적 기록을 제공하며, 간혹 유사한 증례 시리즈가 나타나기 시작할 때 새로운 질병, 증후군 또는 심각한 약물 부작용의 전령 역할을 한다. 이 때문에 많은 증례보고가 거의 인용되지 않거나 상황의 진행에 따라 수년에 걸쳐 점차 인용되는 것은 별로 놀랄 일이 아니다. 반면에 메타분석 및 무작위 대조 임상시험은 중요한 발견이나 동향을 보고하고 즉각적인 시사점을 찾는 경향이 있다. 이는 높은 초기 인용률을 설명한다. 내 증례보고의 인용 횟수는 시간이 지남에 따라 점차 누적되는 경향을 보였다. 2005년 이후 출판된 18건의 증례보고 중 13건이 인용되었고, 인용 횟수는 총 77회였다(1–20회 범위, 증례보고 당 평균 5.9회 인용). 18건의 증례보고 중 3건(17%)이 이제 10회 이상 인용되었으며, 2005년에 출판한 1건은 인용 횟수가 20회이다. 일반적으로 인용의 70–80% 이상이 출판 후 2년 이상 시점에 이루어졌으며, 인용 횟수는 여러 증례에서 5–9년 동안 지속적으로 증가하였다. 나의 증례보고를 포함하여 과학적으로 추출되지 않은 다른 증례보고 표본들을 바탕으로 판단해 볼 때 이처럼 느리지만 점진적인 인용 패턴이 증례보고에 있어서는 표준적인 형태라고 강력히 추정된다. 증례보고 인용 비율을 다른 유형의 연구논문과 비교할 때 2–3년보다는 10년을 기준으로 하는 것이 더 합리적일 수 있다. 증례보고 저자들이여, 인내하라!

인용 비율 외에도 "접근", "조회", "읽기" 및 "다운로드"와 같은 다른 지표는 일반적으로 학술지 웹사이트와 Altmetric와 ResearchGate 같은 연구지수 사이트에서 이용 할 수 있다. 몇몇 저자는 초기 인터넷 "검색횟수" 또는 다운로드와 후속 인용률 사이에 강한 포지티브 상관관계를 발견했다.[21,22] Perneger는 과학적 가치가 검색과 인용 사이의 관련성을 설명한다는 가설을 세우고 "초기 검색횟수는 출판된 의학연구 논문의 과학적 가치에 대하여 잠재적으로 유용한 척도"라고 결론지었다.[22] 증례보고의 경우 현실 의료현장에서의 실제 환자관리를 다룬다는 점을 고려하면 영향력 지표로 인용보다 검색횟수가 더 중요할 수 있다. 증례보고 인용 횟수에 대한 조회 숫자 비율이 높다는 것이 이 전제를 뒷받침한다. 나의 오픈액세스 증례보고 지표 3가지를 검토해보면 6,484회 접근 / 10회 인용[1], 8,337회 접근 / 9회 인용[23], 2,080회 접근 / 4회 인용[24]이다. 인용 횟수 1회당 검색횟수 500–900의 비율이다. 이는 사람들이 증례보고를 읽는 것을 좋아할 뿐 아니라 교육 및 양질의 임상진료 제공과 같은 실질적 이유로도 많은 이들이 증례를 읽고 있음을 의미한다(그러기를 바란다!).

Altmetric은 학술 논문이 온라인에서 받는 관심을 추적, 수집 및 대조하여 웹페이지 한곳에 데이터를 보여주는 시스템이다. 소셜 미디어(Twitter, Facebook, Google+, Pinterest 및 블로그), 기존 미디어(주류 언론 및 과학관련), Mendelay와 CiteULike와 같은 온라인 인용 프로그램 등 3가지 주요 출처에서 데이터를 수집한다. 데이터는 범주별로 구성되고 온라인 반응의 질과 양을 모두 측정하는 Altmetric 점수가 생성된다.[25] ResearchGate는 읽기 및 다운로드를 추적하고, 저자 프로필의 출판물 그리고 어떻게 다른 연구자가 해당 저자의 저작물과 상호 작용하는가를 기반으로 만들어진 "RG점수"를 생성하는 서비스이다.[26] 증례보고 저자의 경우 이런 시스템에서 인용과 관계없이 자신의 작업에 대한 지속적인 반응과 관련된 통찰을 얻을 수 있다. 예컨대, 나는 지난 한 주 동안 ResearchGate 페이지를 통해 나의 7개 증례보고가 총 19번 읽혔거나 다운로드 되었음을 알고 있다. 브라질에서 8명, 미국에서 5명, 러시아에서 4명, 중국과 필리핀에서 1명씩의 독자가 있었다.[27] 승진이나 경력 향상 차원에서 이 정보의 실질적인 유용성은 분명하지 않지만, 전 세계 사람들이 내 증례보고를 읽고 있다는 사실을 알면 확실히 사기가 진작된다.

참고문헌

1. Packer CD. Chronic hypokalemia due to excessive cola consumption: a case report. Cases J. 2008;1(1):32.
2. Tsimihodimos V, Kakaidi V, Elisaf M. Cola-induced hypokalaemia: pathophysiological mechanisms and clinical implications. Int J Clin Pract. 2009; 63(6):900-2.
3. Packer CD. Cola-induced hypokalemia: a super-sized problem. Int J Clin Pract. 2009;63(6):833-5.
4. BBC News. Too much cola zaps muscle power. http://news.bbc.co.uk/2/hi/health/8056028.stm. Accessed 5 Mar 2016.
5. The Telegraph. Drinking large amounts of cola can cause paralysis, doctors warn. http://www.telegraph.co.uk/news/science/science-news/5350530/Drinking-large-amounts-of-cola-cancause-paralysis-doctors-warn.html. Accessed 5 Mar 2016.
6. Spiegel On Line. Mediziner-Warnung: Cola klaut dem Körper Kraft http://www.spiegel.de/wissenschaft/mensch/medizinerwarnung-cola-klaut-dem-koerper-kraft-a-625807.html. Accessed 5 Mar 2016.
7. Wikipedia. Hypokalemia. https://en.wikipedia.org/wiki/Hypokalemia. Accessed 5 Mar 2016.
8. Coca-Cola Company Statements. Statement on cola-induced hypokalemia. http://www.coca-colacompany.com/press-center/company-statements/statement-on-cola-induced-hypokaleaemia/. Accessed 5 Mar 2016.
9. Packer CD. Letter to the editor: reply. Int J Clin Pract. 2009;63(10):1545-6.
10. Sharma R, Guber HA. Cola-induced hypokalemia - a case report and review of the literature. Endocr Pract. 2013;19(1):e21-3.
11. Pyke DA. Writing and speaking in medicine. How I referee. Br Med J. 1976;2(6044):1117-8.
12. Neill US. How to write an effective referee report. J Clin Invest. 2009;119(5):1058-60.
13. Ajao OG. Peer review and refereeing in medicine and medical sciences. Saudi J Gastroenterol. 1997;3:107-12.
14. Johnson S. The Works of Samuel Johnson, vol. 7. Troy: Pafraets Press; 1903. p. 156.
15. US National Library of Medicine Fact Sheet. MEDLINE Journal Selection. https://www.nlm.nih.gov/pubs/factsheets/jsel.html#. Accessed 20 Mar 2016.

16. Shariff SZ, Bejaimal SA, Sontrop JM, et al. Retrieving clinical evidence: a comparison of PubMed and Google Scholar for quick clinical searches. J Med Internet Res. 2013;15(8):e164.

17. Anders ME, Evans DP. Comparison of PubMed and Google Scholar literature searches. Respir Care. 2010;55(5):578–83.

18. Patsopoulos NA, Analatos AA, Ioannidis JP. Relative citation impact of various study designs in the health sciences. JAMA. 2005;293(19):2362–6.

19. Bhandari M, Busse J, Devereaux PJ, et al. Factors associated with citation rates in the orthopedic literature. Can J Surg. 2007;50(2):119–23.

20. Nieder C, Pawinski A, Dalhaug A. Contribution of case reports to brain metastases research: systematic review and analysis of pattern of citation. PLoS One. 2012;7(3):e34300.

21. Deciphering citation statistics. Nat Neurosci. 2008;11(6):619.

22. Perneger TV. Relation between online "hit counts" and subsequent citations: prospective study of research papers in the BMJ. BMJ. 2004;329(7465):546–7.

23. Packer CD, Hornick TR, Augustine SA. Fatal hemolytic anemia associated with metformin: a case report. J Med Case Rep. 2008;2:300.

24. Chiang E, Packer CD. Concurrent reactive arthritis, Graves' disease, and warm autoimmune hemolytic anemia: a case report. Cases J. 2009;2:6988.

25. Altimetric score. https://help.altmetric.com/support/solutions/articles/6000059309-about-altmetric-and-the-altmetric-score. Accessed 25 Mar 2016.

26. RG Score. A new way to measure scientific reputation. https://www.researchgate.net/publicprofile.RGScoreFAQ.html. Accessed 25 Mar 2016.

27. ResearchGate Stats. https://www.researchgate.net/profile/Clifford_Packer/stats. Accessed 25 Mar 2016.

제 14 장

증례보고의 미래

Clifford D. Packer

근거기반의학 순수주의자들이 증례보고가 근거의 약한 형태라는 주장을 제기할 때, 나는 대학의 한 철학수업 중 들은 오래된 농담을 떠올린다. 논리적 실증주의자가 자신의 약혼자에게 반지를 사주었다. 반지를 선물하자 그녀는 울기 시작했다. "반지에 새겨진 게 없네요. 이름을 새겨 줄 수 없나요?" "물론이죠." 그는 보석상에 달려가 반지에 각인한 후 그녀에게 다시 돌아왔다. 그것을 보자마자 그녀는 논리적 실증주의자가 놀랄 정도로 서럽게 흐느껴 울었다. "도대체 뭐가 문제인가요?" 논리적 실증주의자가 물었다. "당신이 요청한대로 정확하게 새겨 왔어요." 물론 반지에는 당신의 짐작대로 "반지"라는 단어가 새겨져 있었다.

이제 논리적 실증주의자를 근거기반의학이라고 생각해보자. 그의 약혼자는 개별 환자이고, 반지는 제시된 치료법이다. 반지는 실제로 반지라는 강력한 경험적 근거를 바탕으로 올바르게 새겨져있다. 그러나 개인적이고 세심한 손길은 매우 부족했다. 개인맞춤형 의료에 대한 수요가 거의 확실하게 증가하게 될 미래에는 증례보고 또는 축적된 증례보고가 개별 환자 특성에 맞는 치료를 제공하는데 점점 더 중요한 역할을 할 것이다.

이 책을 통해 우리는 가설 생성, 새로운 증후군의 구분, 약물감시, 그리고 무작위 대조 임상시험을 활용할 수 없는 환자 진료 결정을 위한 근거로 증례보고를 활용하는 방법에 대하여 논의했다. 우리는 특이한 암 생존자에 대한 단일환자 임상시험(n-of-1 trial) 및 게놈 연구와 같은 증례보고가 개인맞춤형 의료에 기여할 수 있는 방법에 대해 다루었다. 의심의 여지없이 이와 같은 추세는 계속될 것이다. 또한 누적된 증례보고, 환자 레지스트리 및 기타 임상 데이터베이스가 점점 더 광범위하고 혁신적으로 활용되는 것을 보게 될 것이다. 우리의 현재 데이터베이스는 의학 텍스트에 포함된 데이터의 약 20%만을 수집한 것으로 추정된다.[1] 증례보고는 "거의 개발되지 않은 막대한 지식 저장소에 해당한다.[2]" 데이터마이닝 및 생체인식기술의 발전에 따라 증례보고는 인구집단의학 및 인구집단건강에 통합되기 시작할 것이다. 당뇨, 고혈압, 만성폐쇄성폐질환, 심부전, 암과 같은 여러 만성 질환은 질병과 치료 변수의 상호 작용이 너무 복잡해서 무작위 대조 임상시험으로 연구하기 어렵다. 증례보고를 집적하면 이같은 환자들의 진료에 유용한 근거를 수집하는 데 도움이 될 것이다. Jonathan Teich는 다음과 같이 말했다.

최적지점은 변화와 미지수가 존재하는 곳이다. 우리는 COPD 환자를 치료하는 방법을 알고 있지만 질병이 특정 인구 집단에 미치는 영향에 대한 답변은 그 인구 집단에 포함되어 있을 수 있다. 당신은 거대인구집단에서 해당 정보를 채굴할 수 있으며, 해당 데이터에 관한 많은 질문을 할 수 있고 거기서 당신이 찾던 것을 발견할 수 있다.[1]

증례보고 데이터베이스의 잠재적 역할은 다음과 같다. 순차적인 사건의 상호 의존성 조사, 다양한 처치의 기간과 용량 및 처방에 대한 효능 평가, 동시발병 또는 인과관계가 있는 동반질환에 대한 진단, 실제 사례를 활용한 복잡한 환자에 대한 응급 의사결정의 질 개선 등을 기대할 수 있다. 결국 전자데이터 수집이 점점 더 보편화됨에 따라 각 환자와의 대면이 대규모 데이터베이스에 실시간 데이터로 제공된다는 점에서, 모든 대면진료가 사실상 증례보고가 될 것으로 기대된다. 동시에 정보는 데이터베이스에서 다시 의사에게로 전달되어 진료를 할 때 임상의사결정을 지원하게 될 것이다. 더 많은 증례는 더 많은 데이터로 축적되고, 더 많은 데이터는 더 나은 진료로 이어진다.

증례보고는 참신함과 혁신성을 포착해내기 때문에 새로운 기술의 최첨단에서 빛을 보는 경향이 있다. Rudner 등이 Annals of Emergency Medicine에 최근에 발표한 "부정맥 관리를 지원하는 스마트폰 환자 활동 추적기를 이용한 진찰[4]" 증례보고를 보자. 이 문헌에서 새로운 심방세동이 있던 환자는 손목 활동 추적기를 검사한 결과 지난 3시간 이내의 부정맥 발생이 확인되어 즉각적인 전기적 제세동 결정에 이를 수 있었다. 환자는 응급실에서 안전하고 성공적으로 심박 정상화 시술을 받았다. 이는 특정한 의학적 의사결정에 스마트폰 활동 추적 시스템 정보를 이용한 첫 증례보고이다. 이 증례보고는 National Public Radio에서 뿐만 아니라 언론에 광범위하게 보도되었다.[5] 또 다른 흥미로운 신기술 중에는 순환 종양 DNA (ctDNA)에 대한 혈액검사인 "액체 생검liquid biopsy"이 있다. 이 기술은 암을 진단하고 치료가 필요한 돌연변이를 찾아내며, 재발을 감지하고 종양 내성 기전을 탐색하는 도구로써의 큰 가능성을 보여주었고, 고통스럽고 침습적인 생검을 원하지 않는 암환자에게 적용할 수 있다.[6] 증례보고 및 증례군 연구는 ctDNA 검사를 위한 임상응용 프로그램을 개발하는데 중요한 역할을 할 것이다. 예를 들어 최근의 증례보고에서는 전이성 비소세포성 폐암 및 급속하게 진행된 간전이 환자에서 ctDNA 다중 유전형 분석을 활용하는 방법을 소개했다. 이 검사는 위험한 간생검 없이도 새로운 ALK 전위를 종양 내성 기전으로 식별해냈다.[7] 환자는 두 가지 다른 ALK 억제제에 대해 탁월한 임상적 반응을 보였다. 우리는 앞으로 수십 년 동안 새로운 기술을 이용한 더 많은 증례보고를 볼 수 있을 것이다.

2050년의 증례보고는 어떤 모습일 것인가? 체렌코프 효과와 나노입자 영상이 치료의 표준이 될 것인가? 3D 홀로그램이 일반적인 흉부 X-ray를 대체할 수 있을까? 유전체 프로파일링이 CBC처럼 쉽게 접근할 수 있는 검사가 될까? 기술이 어떤 식으로 발전하더라도 증례보고는 최전방에 있을 것이다. 그리고 나는 증례보고의 기본 형식과 기능이 변하지 않기를 바란다. 비록 영상에 주목하지 않을 수 없더라도 또 기술이 매우 강력할지라도, 우리가 해야 할 일은 증례에 맥락을 부여하고 증례에 대해 설명하며 이 증례가 우리에게 무엇을 가르쳐 주는지를 발견해 내는 것이다.

참고문헌

1. Healthcare IT News: populations hold key to future medicine. http://www.healthcareitnews.com/news/populations-hold-keyfuture-medicine. Accessed 29 Apr 2016.
2. Jackson D, Daly J, Saltman DC. Aggregating case reports: a way for the future of evidence-based health care? Clin Case Rep. 2014;2(2):23–4.
3. Kidd MR, Saltman DC. Case reports at the vanguard of 21st Century medicine. J Med Case Rep. 2012;6:156.
4. Rudner J, McDougall C, Sailam V, Smith M, Sacchetti A. Interrogation of patient smartphone activity to assist arrhythmia management. Ann Emerg Med. 2016. pii: S0196-0644(16)00143-148. [Epub ahead of print].
5. A Fitbit Saved His Life? Well, Maybe. http://www.npr.org/ sections/health-shots/2016/04/11/473393761/a-fitbit-saved-hislife-well-maybe. Accessed 30 Apr 2016.
6. Chi KR. The tumour trail left in blood. Nature. 2016;532:269–71.
7. Liang W, He Q, Chen Y, Chuai S, Yin W, Wang W, et al. Metastatic EML4-ALK fusion detected by circulating DNA genotyping in an EGFR-mutated NSCLC patient and successful management by adding ALK inhibitors: a case report. BMC Cancer. 2016;16:62.

Index